TROSEDDAU HYNOD

Troseddau Hynod

50 o lofruddiaethau
a marwolaethau amheus
yng Nghymru

Roy Davies
(gol: Lyn Ebenezer)

Argraffiad cyntaf: Tachwedd 2003

ⓗ *Roy Davies*

*Cyhoeddir dan gynllun comisiwn
Cyngor Llyfrau Cymru.*

*Rhif Llyfr Safonol Rhyngwladol:
0-86381-870-6*

*Llun clawr: Dylan Williams
Cynllun clawr: Sian Parri*

*Argraffwyd a chyhoeddwyd gan Wasg Carreg Gwalch,
12 Iard yr Orsaf, Llanrwst, Dyffryn Conwy, LL26 0EH.
☎ 01492 642031
✆ 01492 641502
✆ llyfrau@carreg-gwalch.co.uk
Lle ar y we: www.carreg-gwalch.co.uk*

Cynnwys

Rhagair

Pan ymddangosodd *The Murderers' Who's Who, 150 Years of Notorious Murder Cases* gan J.H.H. Gaute a Robin Odell yn 1979, fe dorrwyd tir newydd. Hon oedd y gyfrol gyntaf yn Saesneg i groniclo'n effeithiol hanesion llofruddion yng ngwledydd Prydain. Yn wir, cyn 1881 doedd yr wyddor a elwir bellach yn droseddeg ddim yn bod.

Yn rhyfedd iawn, cymeriad ffuglennol wnaeth agor y drws i'r fath wyddor, neb llai na Sherlock Holmes, fel yr honna Colin Wilson yn ei ragair i'r gyfrol uchod, er y gellir dadlau i'r *Newgate Chronicle* roi cynnig arni yn 1774, cyfrol a ailgyhoeddwyd ar ffurf diweddariad yn 1825 yn cynnwys ambell achos o'r bedwaredd ganrif ar bymtheg. Ond Conan Doyle, drwy gymeriad Holmes, a agorodd y drws yn llydan. Fe wnaeth Doyle, yn *A Study in Scarlet*, hyd yn oed rag-weld pwysigrwydd dadansoddi ansawdd olion gwaed cyn bod y profion hynny'n bod. Fe aiff Wilson ymhellach. Conan Doyle, meddai, drwy gymeriad Holmes, oedd y cyntaf i sylweddoli bod yna batrymau sylfaenol mewn achosion o lofruddiaeth, a'r patrymau hynny'n cuddio ym meddwl y llofrudd yn ogystal ag yn ei amgylchedd cymdeithasol.

Pam y prinder yma o lyfrau ar droseddeg yn y ddeunawfed a'r bedwaredd ganrif ar bymtheg? Damcaniaeth Wilson yw bod darllenwyr y cyfnod yn perthyn, gan mwyaf, i'r dosbarth canol ac yn credu eu bod nhw'n rhy uchel-ael i ddangos diddordeb yn hanes troseddau eu cyfnod eu hunain. A theimlai pobl Oes Fictoria, medd Wilson, nad oedd trosedd yn ddim byd mwy na throednodyn annymunol i hanes. Gwell oedd ganddynt ddarllen nofelau a chyfrolau o bregethau. O'r herwydd, cyfyngwyd croniclau llofruddiaethol i newyddiaduron a baledi.

Creadigaethau diweddar, felly, yw casgliadau llenyddol ar lofruddiaethau. Ond erbyn dechrau'r ganrif ddiwethaf fe ddaeth y *genre* yn hynod boblogaidd gyda chyhoeddi llwythi o lyfrau ar y pwnc. Ac i'r rheiny na fedrent fforddio prynu llyfrau fe agorwyd drws arall gyda chyhoeddi cylchgronau fel *True Detective* yn America.

Erbyn ail hanner y ganrif ddiwethaf roedd llenyddiaeth droseddol yn rhemp, gyda Colin Wilson ei hun yn arwain gyda chyfrolau fel *The Outsider* a *Ritual in the Dark*. Ymledodd y *genre* i'r sgrin fawr a'r sgrin fach gyda ffilmiau byrion fel clasuron Edgar Lustgarten, *Tales from the Black Museum*. Tua'r un adeg ag yr oedd Gaute ac Odell yn gweithio ar eu llawlyfr nhw roedd o leiaf dair cyfrol debyg, ond llai cynhwysfawr, ar waith: E. Spencer Shew, *An Encyclopaedia of Murder*, Pat Pitman a Colin Wilson, *Companion to Murder*, a Syr Harold Scott, *Concise Encyclopedia of Crime and Criminals*.

Yn ddiweddarach gwelwyd cyhoeddi rhifynnau misol ar wahanol lofruddiaethau, digon tebyg i'r cylchgronau cyfresol hynny ar arddio, gwau neu goginio. Gall y rhifynnau hyn o tua 150 tudalen yr un lunio tua dwsin neu fwy o gyfrolau swmpus. Ac o ran y sgrin fach, does dim rhyfedd mai *Crimewatch* yw un o'r rhaglenni mwyaf poblogaidd ar y teledu.

Yma yng Nghymru roedd gennym ni un awdur a oedd o flaen ei amser. Dros 12 mlynedd o flaen *The Murderers' Who's Who* fe gyhoeddodd T. Llew Jones *Gwaed ar eu Dwylo*, cyfrol yn cynnwys hanes hanner dwsin o achosion Cymreig, a hynny mewn cyfrol sy'n dal yn glasur. A'r hyn sy'n ei gwneud yn gyfrol mor bwysig yw rhagair yr awdur ei hun sy'n ceisio esbonio natur y llofrudd, a hynny cyn i wyddor fforensig ddod yn bwnc poblogaidd. Petai T. Llew Jones heb gyhoeddi'r un gyfrol arall, câi ei ystyried yn awdur mawr ar sail *Gwaed ar eu Dwylo* yn unig.

Yn ystod yr ugain mlynedd diwethaf cafwyd ymdrechion glew gan eraill i lenwi'r bwlch. Gwelwyd cyfuno llyfrau a rhaglenni teledu, diolch i awduron fel Bethan Phillips ac Eigra Lewis Roberts. Ac ychwanegiad pwysig iawn fu cyfrolau John Hughes, a aeth â ni i lygad y ffynnon fel cyn-Bennaeth y *CID* yng Ngwynedd a Chlwyd.

Yn y traddodiad hwn mae Roy Davies, a fu'n Ddirprwy Bennaeth y Garfan Droseddol Ranbarthol yn Ne Cymru.

Yn ogystal â gweithio ar nifer o achosion enwog fe aeth ati, ar ôl ymddeol, i ennill gradd mewn ysgrifennu creadigol yng Ngholeg y Drindod, Caerfyrddin. Gall, felly, gyfuno gwybodaeth drwyadl a phersonol o droseddeg â'r ddawn i gofnodi'r wybodaeth honno mewn dull manwl a diddorol. Cyfuniad perffaith. Mae'n gyfrannwr cyson i raglenni radio a theledu a bu'n cyflwyno'r gyfres *Troseddau Hynod* ar y rhaglen deledu ddigidol *Pnawn Da* ers dros bedair blynedd. Diolch i gwmni teledu Tinopolis am gael defnyddio'r teitl ar gyfer y gyfrol hon.

Erbyn hyn mae Roy wedi ymchwilio i dros gant o achosion o lofruddiaeth a marwolaethau amheus yng Nghymru, gan gribo drwy bapurau newydd cyfoes a thurio drwy ugeiniau o ffeiliau yn yr Archifdy Gwladol yn Kew, Llundain. Mae'r gyfrol hon yn cofnodi hanner cant ohonynt, llofruddiaethau bron i gyd, ond ceir hefyd ambell ddynladdiad, a thri achos lle cliriwyd y diffynyddion o ladd ond lle y'u cafwyd yn euog o ladrata ac o dderbyn arian drwy dwyll. Mae'r achosion yn amrywio'n fawr o ran graddau, cymhellion, dulliau, lleoliadau ac amserau.

Llwyddodd Roy hefyd i olrhain pob dienyddiad yng Nghymru yn ystod yr ugeinfed ganrif hyd at yr achos olaf o grogi yn 1958. Mae'n werth dyfynnu o'i ymchwil ar argymhellion Adroddiad Arglwydd Aberdâr ar ganllawiau

9

crogi yn 1888. Ynddo, meddai, argymhellwyd mai'r cwymp delfrydol oedd un a fyddai'n cynhyrchu ergyd o 1260 troedfedd/pwys. Drwy rannu'r ffigwr hwnnw â phwysau'r troseddwr mewn pwysi medrid penderfynu union ddyfnder y cwymp angenrheidiol mewn troedfeddi. Er enghraifft, y cwymp i rywun naw stôn fyddai deg troedfedd. Ond dylid cymryd i ystyriaeth hefyd gyflwr y gwddf.

I gloi, wn i ddim faint o bobl sydd wedi gofyn i mi pam mae gen i gymaint o ddiddordeb mewn llofruddiaethau. Cefais fy nghyhuddo gan rai o fod â diddordeb afiach yn natur dduaf dynoliaeth tra bod yr union rai yn mynd ymlaen am awr a mwy i drafod 'y diddordeb afiach' hwn heb sylweddoli bod ganddyn nhw gymaint, os nad mwy, o ddiddordeb â minnau yn y pwnc. Oes, mae gennym i gyd ddiddordeb mewn llofruddiaethau ond bod rhai ohonom yn ddigon gonest – neu'n ddigon gwirion – i gyfaddef hynny. Ond prin iawn yw'r rheiny sy'n medru troi llofruddiaethau yn ddigwyddiadau byw. Mae Roy Davies yn un o'r bodau prin hynny.

Lyn Ebenezer
Tachwedd 2003

MYNEGAI

Diffynnydd	Dioddefydd	Lleoliad	Heddlu	Blwyddyn
ARMSTRONG, Herbert Rowse	Katherine Mary Armstrong	Y Gelli Gandryll	Sir Frycheiniog	1921
BINDON, Edgar George Lewis	Maude Mulholland	Caerdydd	Dinas Caerdydd	1913
BLACK, Edgar Valentine	Richard Cook	Caerdydd	Dinas Caerdydd	1963
BOWEN, Graham	Amanda Randall	Llanelli	Dyfed-Powys	1978
BUTLER, William	Charles a Mary Thomas	Maesaleg	Bwrdeistref Casnewydd	1909
CALLAGHAN, Jeremiah	Hannah Callaghan	Tredegar	Sir Fynwy	1902
COLLINS, Noah Percy	Annie Dorothy Lawrence	Abertridwr	Morgannwg	1908
CORBETT, William John	Ethel Louisa Corbett	Caerffili	Morgannwg	1931
DRISCOLL, Daniel ROWLANDS, John ac Edward	David Lewis	Caerdydd	Dinas Caerdydd	1927
EDMUNDS, John	Cecilia Harris	Pont-y-pŵl	Sir Fynwy	1909
ELLIOT, James George	Violet Doreen Cryer	Porth Tywyn	Sir Gaerfyrddin	1954
EVANS, Evan Haydn	Rachel Allen	Wattstown	Morgannwg	1947
FOY, William Joseph	Mary Ann Rees	Merthyr Tudful	Bwrdeistref Merthyr Tudful	1908
GAMBRELL, Richard Anthony	John Williams	Llanddewibrefi	Dyfed-Powys	1983
GROSSLEY, Howard Joseph	Lily Griffiths	Porthcawl	Morgannwg	1945
HARRIES, Thomas Ronald Lewis	John a Phoebe Harries	Llangynin	Sir Gaerfyrddin	1953

11

HARRIS, Herbert Roy	Eileen Harris	Y Fflint	Sir y Fflint	1951
HUGHES, William	Jane Hannah Hughes	Wrecsam	Sir Ddinbych	1902
HUXLEY, Harry	Ada Royce	Holt	Sir y Fflint	1951
JENKINS, Albert Edward	William Henry Llewellyn	Hwlffordd	Sir Benfro	1949
JONES, Harold	Elsie Maude Freda Burnell a Florence Little	Abertyleri	Sir Fynwy	1921
JONES, Rex Harvey	Beatrice May Watts	Y Cymer	Morgannwg	1949
KNIGHT, Eric Oswald	Oswald ac Elizabeth Knight	Trap	Sir Gaerfyrddin	1952
LANGE, Eric	Emlyn Jones	Pentre	Morgannwg	1904
McCARTHY, Michael Dennis	Sidney Rees	Trimsaran	Sir Gaerfyrddin	1953
McLAREN, Hugh	Julian Biros	Caerdydd	Dinas Caerdydd	1913
NASH, James	Martha Ann Nash	Abertawe	Bwrdeistref Abertawe	1885
PERRY, John Frederick	Arminda Ventura Perry	Higher Kinnerton	Gogledd Cymru	1991
PRICE, John	Mary Ann Price	Aberystwyth	Sir Aberteifi	1885
REES, Rees Thomas	Elisabeth Jones	Llangadog	Sir Gaerfyrddin	1816
ROBERTS, George	Elizabeth Thomas	Talacharn	Sir Gaerfyrddin	1953
SEARLE, Roy	Malcolm Ian Donald Heaysman	Gwynfe	Dyfed-Powys	1971
SELAPATANE, Manoeli ac ALEPIS, Pansotis	Atanasio Mitropanio	Abertawe	Bwrdeistref Abertawe	1858
SHOTTON, George	Mamie Stuart	Y Mwmbwls	Morgannwg	1919
SMITH, Mark Trayton	Albert Richards	Porth Tywyn	Dyfed-Powys	1982

SULLIVAN, Daniel	Catherine Sullivan	Dowlais	Bwrdeistref Merthyr Tudful	1916
TEED, Vivian Frederick	William Williams	Fforest-fach	Bwrdeistref Abertawe	1957
THOMAS, Campbell Caledfryn	Alfreda Margaret Thomas	Llanelli	Sir Gaerfyrddin	1944
THOMAS, George	Mary Jane Jones	Caerfyrddin	Bwrdeistref Caerfyrddin	1893
WEBBER, John	Edward Stelfox	Caerdydd	Bwrdeistref Caerdydd	1876
WILLIS, Rhoda (Leslie James)	Baban dienw	Caerdydd	Dinas Caerdydd	1907
WILLS, Clifford Godfrey	Silvinea May Parry	Pontnewydd	Sir Fynwy	1948
YAFAI, Ali Abdullah Saleh	Mary Yafai	Casnewydd	Troseddlu Rhanbarthol	1971
YELLEN, Anthony Albert	Hezekiah Thomas	Llanddunwyd	De Cymru	1971

LLOFRUDDIAETHAU DIGANLYNIAD

Dioddefydd	Lleoliad	Heddlu	Blwyddyn
DRINKWATER, Muriel	Penlle'r-gaer	Sir Gaerfyrddin	1945
PEYRE, Maria	Abertawe	Bwrdeistref Abertawe	1928
STEPHENS, Carol Ann	Pum Heol	Caerfyrddin ac Aberteifi	1959
THOMAS, Elizabeth	Talacharn	Sir Gaerfyrddin	1953
THOMAS, Hezekiah	Llanddunwyd	De Cymru	1971
THOMAS, Thomas	Y Garnant	Sir Gaerfyrddin	1921

MARWOLAETHAU AMHEUS

Dioddefydd	Lleoliad	Heddlu	Blwyddyn
KNIGHT, Frances	Y Rhyl	Sir y Fflint	1940
ROBERTS, John Gwilym	Talsarnau	Gwynedd	1952

Herbert Rowse Armstrong

Ym mis Tachwedd, 1920, ymddangosodd Harold Greenwood, cyfreithiwr o Gydweli, ym Mrawdlys Caerfyrddin ar gyhuddiad o lofruddio'i wraig drwy ei gwenwyno ag arsenig a weinyddwyd iddi mewn gwin *Burgundy*. Ond fe'i cafwyd yn ddieuog ac fe'i rhyddhawyd yn ddi-oed. Yn fuan wedyn, aeth cyfreithiwr arall o Gymru ati i gynllwynio rhywbeth tebyg iawn. Roedd gan hwn hobi tra anarferol – hoffai ladd chwyn â chwynladdwr yr oedd ef wedi'i ddyfeisio'i hunan. Un o'r prif gynhwysion oedd arsenig pur.

Roedd Herbert Rowse Armstrong yn 50 oed, yn gyfreithiwr ac yn Glerc yr Ynadon yn y Gelli Gandryll, Sir Frycheiniog. Fe'i ganwyd yn Newton Abbot, Dyfnaint, ond symudodd i'r Gelli yn 1906. Un bychan ydoedd o ran corffolaeth, yn pwyso rhwng wyth a naw stôn. Yn ôl rhai o'i gydnabod, ymdebygai i'r llofrudd Americanaidd drwgenwog hwnnw, Dr Hawley Harvey Crippen, a grogwyd ym mis Tachwedd, 1910, am lofruddio'i wraig yn Llundain. Roedd Armstrong yn flaenllaw iawn yn yr eglwys ac fe'i dyrchafwyd yn *Worshipful Master* ar y Seiri Rhyddion lleol. Bu hefyd yn uwchgapten yn y fyddin, ac ymfalchïai gymaint yn y ffaith honno fel y parhaodd i wisgo'r got fawr swyddogol wedi i'r Rhyfel Mawr ddod i ben.

Yn 1907, priododd Armstrong â Katherine Mary ac aethant i fyw i 'Mayfield' yn Cusop Dingle, pentref bach ar y ffin rhwng Cymru a Lloegr. Ganwyd iddynt dri o blant ac ar yr wyneb ymddangosent yn deulu dosbarth canol cysurus. Fodd bynnag, daeth yn amlwg gydag amser fod Armstrong dan fawd ei wraig. Yn wir, tueddai hithau i'w fwlio, a hynny'n aml yn gyhoeddus. Ni châi smygu ond mewn un ystafell, ac yng nghartrefi pobl eraill yn unig y câi yfed alcohol. Neilltuai ei wraig un noson yr wythnos iddo gael bàth. Ble bynnag y byddai ar y noson benodedig, gorfodid iddo adael y cwmni er mwyn cyflawni'r ddefod honno. Ymddangosai i bawb fod Armstrong yn derbyn y cyfan yn ddi-gŵyn, ond y gwir amdani oedd bod ganddo fenywod eraill. Gofalai fod y rheiny'n ddigon pell o'i gartref ac fe âi i Lundain yn aml i fwynhau eu cwmni.

Roedd Katherine Mary yn wraig gefnog. Yn ei hewyllys gofalodd fod y rhan fwyaf o'r £2,500 a feddai i fynd i'w phlant. Ond ym mis Gorffennaf, 1920, fe'i darbwyllwyd gan ei gŵr i newid ei hewyllys, gan adael y cyfan iddo ef. Yna, fis yn ddiweddarach, credwyd ei bod yn dioddef o afiechyd meddwl ac aethpwyd â hi i wallgofdy yng Nghaerloyw, gan adael ei gŵr yn rhydd i ladd chwyn fel y mynnai ac i deithio'n amlach i Lundain.

Erbyn mis Ionawr, 1921, roedd cyflwr Katherine Mary wedi gwella digon iddi gael dod adref. Prin wythnos yn ddiweddarach, yn dilyn pryd o fwyd, fe'i trawyd hi'n sâl iawn a galwyd y meddyg teulu, Dr Hincks, i'w thrin. Ond cyn gynted ag y dechreuodd wella, fe aeth yn wael yr eilwaith. Y noson honno, estynnodd Armstrong wydraid o siampên iddi gan ddweud y byddai'r ddiod yn sicr o godi ei chalon. Ond gwaethygu wnaeth hi ac am 9.10 fore Mawrth, 22 Chwefror, bu farw. Tystiodd y Dr Hincks iddi farw o drawiad ar y galon yn dilyn effeithiau'r cryd cymalau.

Ychwanegodd ei bod hefyd yn dioddef o *acute enteritis.*

Gosododd Armstrong garreg fawr, addurnedig ar fedd ei ddiweddar wraig a gosodai flodau arni'n rheolaidd. Yn ôl pob golwg, felly, roedd yn ŵr gweddw galarus. Yna, aeth ar wyliau i Ffrainc ac i'r Eidal cyn dychwelyd yn ddyn newydd. Dychwelodd hefyd, yn ôl rhai, â chlefyd rhywiol. Dechreuodd ddilyn gwersi dawnsio, ac yn ei ddyddiadur ar 15 Ebrill, 1921, ysgrifennodd: 'Billeted with Miss B'.

Dechreuwyd drwgdybio Armstrong pan glywyd bod rhai gwesteion a fu mewn partïon yn ei gartref yn teimlo'n sâl yn ddiweddarach. At hynny, bu anghydfod rhyngddo a gŵr busnes lleol o'r enw Davies. Gwahoddodd y cyfreithiwr hwnnw i de un diwrnod a bu farw'n fuan wedyn.

Roedd Armstrong mewn cystadleuaeth â thwrnai arall, Mr Griffiths, oedd â swyddfa ar draws y stryd. Bu Griffiths yn ystyried uno'r ddau gwmni, ond newidiodd ei feddwl a derbyn Oswald Martin – gŵr oedd yn briod â merch i fferyllydd lleol – yn bartner iddo. Ffynnodd y bartneriaeth newydd ar draul busnes Armstrong a buan y cododd anghydfod rhwng Armstrong a Martin. Un diwrnod cyrhaeddodd bocs o siocledi dŷ Martin yn anrheg oddi wrth berson dienw. Ar ôl bwyta rhai ohonynt fe aeth Mrs Martin, ac ambell ffrind, yn sâl.

Un prynhawn fe wahoddwyd Martin i de gan Armstrong i drafod busnes. Estynnodd Armstrong sgonsen iddo gan ddweud, 'Esgusodwch y bysedd'. Trawyd Martin yn wael y noson honno a galwyd ar Dr Hincks. Ni feddyliodd y meddyg ar y pryd y gallasai Martin fod wedi'i wenwyno. Ond fe ddaeth drwgdybiaeth i feddwl y fferyllydd, tad-yng-nghyfraith Martin. Anfonwyd sampl o'i ddŵr i'w dadansoddi a gwelyd bod ôl arsenig ynddi. Wrth chwilio drwy ei gofrestr gwenwyn gwelodd y fferyllydd mai Armstrong oedd yr unig un yn y dref oedd wedi prynu arsenig yn rheolaidd. Profwyd hefyd fod arsenig yn bresennol yn y siocledi na fwytawyd gan Mrs Martin a'i ffrindiau.

Pan wnaed y meddyg yn ymwybodol o'r canfyddiadau hyn, daeth i'w feddwl y gallai fod wedi gwneud camgymeriad yn achos marwolaeth Mrs Armstrong. Cysylltodd â'r Swyddfa Gartref a chysylltodd yr heddlu â'r Cyfarwyddwr Erlyniadau Cyhoeddus. Ond roedd y cof am achos Harold Greenwood flwyddyn yn gynharach yn dal yn fyw, ac ni fynnai'r Cyfarwyddwr godi twrw unwaith eto. Yna, daeth swyddogion o Scotland Yard i'r Gelli i ddechrau ar eu hymholiadau.

Ar ddiwrnod olaf 1921 fe arestiwyd Armstrong ar gyhuddiad o geisio llofruddio Oswald Martin. Yn ei boced canfuwyd pecyn ag ynddo ugeinfed ran o owns o arsenig, digon i ladd y 19eg o wreiddiau dant y llew yn ei ardd, meddai. Yn nrôr ei ddesg canfuwyd dwy owns yn ychwanegol.

Tra oedd Armstrong yn y ddalfa datgladdwyd corff ei wraig. Canfu'r patholegydd enwog, Dr Bernard Spilsbury, ôl arsenig ynddo. Ar 19 Ionawr 1922, cyhuddwyd Armstrong o lofruddio'i wraig ac ymddangosodd ddau fis yn ddiweddarach gerbron yr Ustus Darling ym Mrawdlys Henffordd. Y Twrnai Cyffredinol, Syr Ernest Pollock, oedd yn erlyn tra bod Syr Henry Curtis-Bennett yn arwain yr Amddiffyniad.

Honnodd Armstrong i'w wraig gyflawni hunanladdiad, ond methodd ag esbonio presenoldeb yr arsenig yn ei boced ac yn nrôr ei ddesg. Ni fu'r rheithgor yn hir cyn ei gael yn euog. Crogwyd Armstrong yng Ngharchar Caerloyw ar 31 Mai 1922. Am ei fod mor ysgafn bu'n rhaid i'r crogwr ymestyn ei gwymp i wyth troedfedd ac wyth modfedd. Pum cam yn unig y bu'n rhaid iddo'u cymryd o'r gell at y rhaff.

Cyfyd y cwestiwn o hyd am ddylanwad achos Harold Greenwood ar weithred Armstrong. Yng Nghydweli, methwyd â phrofi bod arsenig yn y gwin *Burgundy* oedd ar y bwrdd cinio. Felly, fel y dywed yr hen wireb honno, mêl y naill yw gwenwyn y llall.

Edgar George Lewis Bindon

Chwaraewr pêl-droed gyda thîm Dinas Caerdydd oedd Edgar George Lewis Bindon. Ond yn ystod 1913 a 1914, daeth yn adnabyddus am weithred lai diniwed na chicio pêl. Ac yntau'n llanc 19 oed, fe'i crogwyd yng Ngharchar Caerdydd am lofruddio'i gariad, Maude Mulholland.

Roedd Maude a Bindon yn byw yn yr un stryd, sef Heol Theobald yn Nhreganna, a golygai hynny fod y ddau yn gweld ei gilydd yn rheolaidd. Ond nid Bindon oedd yr unig un â'i olygon ar Maude. Edmygydd arall ohoni oedd Bernard Campion, gŵr a weithiai, fel Maude, mewn siop ddillad. Serch hynny, erbyn diwedd haf 1913 roedd cyfeillgarwch wedi datblygu rhyngddi a Bindon, gydag yntau'n ystyried y berthynas yn un ddifrifol iawn.

Ddydd Mawrth, 28 Hydref, cynhyrfwyd Bindon pan sylweddolodd fod Maude wedi closio at Campion. Erfyniodd arni'n daer drwy lythyron i ailfeddwl, ond wnâi hi ddim. Trodd ei lythyron yn fygythiol wedyn a dechreuodd ei stelcian.

Ar ddiwrnod Guto Ffowc galwodd Bindon yng nghartref y ferch, ond dywedodd ei rhieni iddi fynd allan. Credai eu bod nhw'n celu rhywbeth rhagddo a'i bod, yn ôl pob tebyg, yng nghwmni llanc arall. Fel mae'n digwydd, roedd Maude wedi mynd allan i weld perthynas oedd yn sâl.

Y prynhawn wedyn galwodd heibio unwaith eto ac fe'i

gwahoddwyd i'r tŷ gan y Capten Mulholland, tad Maude. Wrth iddynt sgwrsio sylwodd hwnnw fod gan Bindon rifolfer. Gafaelodd yn yr arf ond canfu fod y siambrau'n wag. Gwrthodai Bindon dderbyn nad oedd y ferch am ei weld a bu'n rhaid ei galw i'r ystafell i gadarnhau hynny. Danfonwyd Bindon oddi yno ond, ar ei ffordd allan, trodd at Maude a'i rhybuddio: 'Mi fyddi di'n flin iawn am hyn'.

Yn ôl tystiolaeth James Cooke, gwerthwr gynnau o Septimus Chambers, Caerdydd, roedd Bindon wedi galw i chwilio am rifolfer ychydig amser cyn y dywedwyd iddo alw yng nghartref y teulu Mulholland. Datganodd Robert Bevan, gwerthwr beiciau modur a gynnau, iddo werthu gwn llaw i Bindon ar 9 Tachwedd.

Nos Sadwrn, 8 Tachwedd, aeth Maude a Campion allan am dro gan ddychwelyd i gartref y ferch tua deg o'r gloch. Ond gan iddo golli'r tram olaf adre, cerddodd Maude ran o'r ffordd gyda'i chariad, mor bell â Heol y Bont-faen ar hyd Heol yr Eglwys. Yno ffarweliodd hi ag ef, a dyna'r tro olaf iddo'i gweld yn fyw.

Yn hwyr drannoeth galwodd Bindon eto yng nghartref Maude a chael ei bod hi allan. Yn groes i ddymuniad ei rhieni, oedodd yn y tŷ i ddisgwyl amdani. Pan gyrhaeddodd, bodlonodd hithau i fynd allan gydag ef am sgwrs.

Roedd Randolph Howe, bachgen 15 oed, yn ei gartref tua 10.50 y noson honno. Clywodd sŵn ergydion, a thrwy ffenest a edrychai allan dros lôn gefn Eaton Place, gwelodd fenyw yn rhedeg i fyny'r lôn ac yn disgyn wrth ymyl dyn. Clywodd ergyd arall a gwelodd fflach.

Bu Henry John Griffiths, a weithiai fel môr-fapiwr, a Windsor Thompson hefyd yn dystion i'r llofruddiaeth. Roeddynt yn cerdded heibio i'r lôn ar y pryd a gwelsant rywun yn saethu at wrthrych a orweddai ar y llawr.

Gwelsant mai merch ifanc a orweddai yno ac fe'i cludwyd ganddynt i feddygfa gyfagos.

Tystiodd y meddyg, Dr Cownle, fod Maude Mulholland yn fyw pan gludwyd hi ato ond iddi farw o fewn pum munud. Roedd hyn tua deg o'r gloch. Gwelodd y meddyg fod pum archoll ar ei chorff, a dau o'r rheiny'n archollion a achoswyd gan fwledi a ddaethai'n syth trwy'r corff.

Mynnai Bindon iddo gwyno wrth Maude am ddiffyg croeso ei rhieni ond iddi hi ei wfftio. Yna, tynnodd wn o'i boced gan danio chwe bwled i'w chorff. Penliniodd wrth ei hochr a'i dal yn ei freichiau cyn mynd i chwilio am blismon. Cyfaddefodd yn hollol hunanfeddiannol iddo saethu ei gariad yn farw, ac fe'i harestiwyd gan y Cwnstabl Ford. Dywedodd wrth gwnstabl arall o'r enw Miles: 'Mae popeth yn iawn, gallaf farw nawr a'm calon yn iawn'.

Ar ei ffordd i orsaf yr heddlu dywedodd Bindon wrth y Ditectif Ringyll Dick: 'Wn i ddim a yw fy mrawd wedi cael cyfreithiwr i mi. Ond all hwnnw ddim gwneud llawer, mae'r peth yn hollol glir'.

Wrth i Bindon drosglwyddo'i rifolfer i'r Uwcharolygydd Burke, sylwodd hwnnw fod ynddo chwe chasyn gwag ac un byw. Estynnodd hefyd focs o fwledi llawn i'r heddwas. Yn ei bocedi cafwyd pum llythyr, pob un wedi'i gyfeirio at Maude.

Pan ymddangosodd gerbron y Frawdlys ddydd Gwener, 6 Mawrth 1914, ni fu unrhyw ddadl ynglŷn â phwy laddodd Maude. Ond ceisiwyd dangos bod hanes o wendid meddyliol yn nheulu Bindon. Llewellyn Williams C.F., A.S., oedd yn erlyn gyda Wilfred Lewis yn Gwnsler Iau a'r Mri Lewis Morgan yn eu cyfarwyddo. Yn amddiffyn roedd Ivor Bowen, C.B. a Hugh Jones, yn cael eu cyfarwyddo gan Harold Lloyd. Dadleuodd brawd Bindon, James Harry, nad oedd ei frawd yn ei iawn bwyll. Tystiodd un arall, ffermwr o'r enw Harry Thorne, i dad Bindon farw o ddiffyg ar yr ymennydd ac i ddau aelod arall o'r teulu gael eu cadw mewn gwallgofdy.

Tystiodd y meddyg teulu, Dr Brierly, i Bindon ddioddef o lid yr ysgyfaint ym mis Mawrth, 1913, ac iddo'i drin hefyd am iselder ysbryd a gwendid. Nid oedd cyflwr ei feddwl yn normal ar y pryd, meddai. A chredai fod llythyron Bindon at Maude yn dangos nad oedd eto yn ei iawn bwyll. Er hynny, ni chredai fod y cyhuddedig yn wallgof.

Meddyg Carchar Caerdydd oedd Dr H.G.G. Cook. Dywedodd hwnnw iddo fethu canfod unrhyw arwydd fod Bindon yn wallgof. Roedd ei ymddygiad yn gwbl dawel a hunanfeddiannol, meddai. Ac er iddo'i archwilio rhwng chwech ac wyth o weithiau, doedd y carcharor ddim wedi dangos unrhyw arwydd o edifeirwch. Cysgai'n dawel a chymerai fwyd yn rheolaidd. Yn wir, cynyddodd ei bwysau tra oedd yn y carchar ac ni sylwyd ar unrhyw arwydd o ddryswch meddwl.

Tystiodd meddyg arall o'r Swyddfa Gartref, Dr Martin Craig, arbenigwr ar glefyd yr ymennydd, iddo ganfod bod Bindon yn rhesymol ac yn ei iawn bwyll.

Er i'r Barnwr, yr Ustus Rowlatt, awgrymu bod y ffaith fod gan Bindon wn yn ei boced yn dangos ei fod wedi bwriadu lladd Maude, bu anghytundeb rhwng aelodau'r rheithgor. Yn ddiweddarach, datgelodd y pen-rheithiwr, Mr W.E. Wentworth o Ddinas Powys, wrth ohebydd o'r *Western Mail* fod saith o blaid ei gael yn euog heb unrhyw amod, dau yn argymell trugaredd a thri yn galw'n gryf am drugaredd. Ar ôl trafod am chwe awr daeth y saith i gytundeb â'r ddau oedd yn argymell trugaredd. Cafwyd Bindon yn euog ond anwybyddwyd yr argymhelliad am drugaredd gan y Barnwr a dedfrydwyd ef i'w grogi. Ac er i

30,000 o bobl arwyddo deiseb yn galw am arbed ei fywyd, crogwyd ef fore Mercher, 25 Mawrth 1914.

Edgar Valentine Black

Er mai Sais o ogledd-ddwyrain Lloegr oedd Edgar Valentine Black, y mae iddo le arbennig yn hanes troseddol Cymru. Ef oedd y person olaf yn y wlad i'w ddedfrydu i farwolaeth, ond arbedwyd ei fywyd gan bardwn a ddaeth ar yr unfed awr ar ddeg.

Ganwyd Black yn 1926, ac erbyn diwedd y pum degau roedd ef ac Edith ei wraig, a oedd bum mlynedd yn iau nag ef, wedi ymgartrefu yn Stockton-on-Tees. Ganwyd iddynt dair o ferched, Pauline, Hazel a Dawn. Cafodd waith fel gweithiwr dyletswyddol yn ICI Billingham yn y dref.

Trefnodd ffawd i bâr o Gaerdydd, Richard a Sheila Cook, symud i fyw yn ymyl Black a daeth y ddau deulu'n ffrindiau. Roedd gan y Cymry dri o blant hefyd, Walter, Richard a Mindy.

Yn sgil y cynllun adnewyddu slymiau, symudodd y ddau deulu i Windlestone Close, Hardwick Estate yn y dref, a gwelid 'Taffy' Cook yn aml yn garddio i'w gymdogion. Ymhen amser, datblygodd perthynas ddirgel rhyngddo ac Edith Black, a dywedodd hi y byddent yn cael cyfathrach rywiol dair neu bedair gwaith yr wythnos. Fe barhaodd y berthynas tan 1961 pan benderfynodd Cook gyfaddef y cyfan wrth ei wraig. Aeth y ddau i weld Edith, ac wedi trafod, penderfynodd y Cymry ddychwelyd i Gaerdydd. Yno, buont am gyfnod yn cynorthwyo Gordon Cook, brawd i Richard. Yna bu'n ffodus i gael gwaith mewn garej a symudodd y teulu i Heol Llandudno yn ardal Llanrhymni.

Yn y cyfamser, roedd Black wedi clywed gan ffrindiau am anffyddlondeb ei wraig. Cafodd gadarnhad gan Edith mai gwir oedd yr hyn a glywsai ac anfonodd lythyr at Sheila Cook, ar ddechrau 1963, a amlygai ei chwerwedd tuag at ei gŵr. Gwasgai hyn ar ei feddwl i gymaint graddau fel y teimlai boen yn feunyddiol, a deuai pangau o ddicter drosto pan feddyliai am Cook.

Ddydd Mawrth, 25 Mehefin 1963, gyrrodd Black i Gaerdydd yn ei gar *Reliant* 1958. Prynodd wn dwy faril ac aeth ati i lifio'r barilau yn eu hanner. Aeth yn ei flaen i gartref Cook a churo ar y drws. Pan agorwyd y drws, saethodd Richard Cook yn ei stumog a disgynnodd hwnnw'n swp ar lawr y cyntedd. Clywyd yr ergyd gan nifer o bobl a gwelwyd y car llwyd tywyll, rhif cofrestru JX 234, yn gyrru i ffwrdd. Cludwyd Cook i Ysbyty Brenhinol Caerdydd lle bu farw cyn pen dim. Daethpwyd o hyd i'r gwn yn ddiweddarach yng ngardd ffrynt y tŷ.

Hysbyswyd holl heddluoedd Prydain ynghylch manylion y car, ac yn ystod oriau mân y bore canlynol stopiwyd Black gan blismon yn Swydd Nottingham. Ni wadodd yr hyn a wnaeth ond rhoddai'r bai am bopeth ar 'y triongl tragwyddol'. Mynnai nad oedd wedi bwriadu lladd Cook.

Cyhuddwyd Black o lofruddiaeth yn unol â Chymal 5 Deddf Dynladdiad 1957, a ymwnâi â llofruddio drwy saethu. Yn ôl y ddeddf roedd dau fath o lofruddiaeth, llofruddiaeth seml a llofruddiaeth ddihenydd, gyda'r ail yn teilyngu'r gosb eithaf. Y Barnwr yn yr achos, ddechrau mis Hydref 1963, oedd Mr Ustus Glyn Jones, gyda Roderick Bowen C.F. yn erlyn a William Mars-Jones yn amddiffyn.

Wedi i'r Erlyniaeth gyflwyno'u hachos penderfynodd

Mars-Jones beidio â galw tystion a chynghorodd Black i beidio â thystio. Ceisiodd ddadlau fod Black yn euog o ddynladdiad yn hytrach na llofruddiaeth. Wedi'r cyfan, doedd Black ddim wedi bwriadu lladd Cook. Ond yn cyfrif yn ei erbyn oedd y ffaith iddo deithio'r holl ffordd i Gaerdydd, a hynny fisoedd wedi iddo ddod i wybod am anffyddlondeb ei wraig. Roedd digon o amser wedi mynd heibio i'w waed oeri.

Ni fu'r rheithgor yn hir cyn ei gael yn euog o brif lofruddiaeth ac fe'i dedfrydwyd i'w grogi. Cadwyd ef yng nghell y condemniedig yng Ngharchar Caerdydd. Yn rhyfedd iawn roedd brawd Richard Cook, Thomas, yn swyddog yno, ond gofalwyd cadw'r ddau yn ddigon pell oddi wrth ei gilydd.

Apeliodd Black yn ofer yn erbyn y ddedfryd a phennwyd dydd ei ddienyddio, sef 21 Tachwedd 1963. Serch hynny, anfonwyd deiseb ar ei ran i'r Swyddfa Gartref, ac yn ddiweddarach, penderfynodd yr Ysgrifennydd Cartref, Henry Brooke, leihau'r gosb i garchar am oes. Edgar Black, felly, oedd yr olaf i gael ei gadw yng nghell y condemniedig yng Nghymru. Fe'i trosglwyddwyd yn fuan wedyn oddi yno i ysbyty'r carchar.

Cafodd Edith Black wybod am y datblygiadau hyn gan gyfreithiwr ei gŵr a threfnwyd iddi ymweld ag ef yn y carchar. Gwnaeth yntau gais iddi ddod â'r merched gyda hi. Roedd Pauline yn ddigon hen erbyn hyn i wybod y cyfan, ond cadwyd y ffeithiau oddi wrth y ddwy arall. Roedd rhyw blentyn wedi dweud wrth Hazel bod ei thad wedi marw, ac roedd wedi'i gredu. Pan welodd, felly, ei fod yn fyw bu gorfoledd mawr yn y carchar.

Os oedd Hazel a gweddill y teulu Black yn llawen, roedd Alice, mam Richard Cook, yn gynddeiriog. Yn ei barn hi, roedd y dihiryn yn 'haeddu marw'.

Ond buan yr aeth achos Edgar Valentine Black yn angof oherwydd cafodd y byd achos arall o lofruddiaeth i'w synnu. Drannoeth i'r diwrnod y bwriedid dienyddio Edgar Black, llofruddiwyd yr Arlywydd Kennedy.

Graham Bowen

Mae colli merch ifanc ym mlodau ei dyddiau i salwch neu ddamwain yn ddigon o hunllef i unrhyw deulu. Ond beth am golli merch ifanc o ganlyniad i lofruddiaeth? Mae'r peth y tu hwnt i'n dirnadaeth.

Merch brydferth 14 oed oedd Amanda Randall a drigai gyda'i rhieni yn 9 Tunnel Road, Llanelli. Roeddynt yn deulu gweithgar ac er ei bod yn dal yn yr ysgol, roedd gan Amanda ddwy swydd. Dosbarthai bapurau dyddiol i nifer o gartrefi yn gynnar yn y bore, ac wedi oriau ysgol âi i weithio yn ffatri *Krunchie Pickles* a leolwyd yn union y tu ôl i'w chartref yn y Wern. Ei phrif ddyletswydd fyddai llenwi'r jariau picl â finegr yn y stordy, adeilad bychan a safai ar wahân i'r ffatri. Yno, wedi dod adref o'r ysgol ddydd Mercher, 8 Tachwedd 1978, roedd Amanda'n gweithio gyda'i brawd a merch arall.

Roedd drws y stordy finegr yn llythrennol o fewn pum llathen i giât gardd gefn cartref Amanda ac o fewn pymtheg llathen i ddrws mawr cefn y ffatri. Oherwydd yr asid, gwisgai'r tri fenig rwber a *Wellingtons*. Rhai ar gyfer dynion oedd am draed Amanda. Gwisgai hefyd drowsus du a siwmper o liw tanjerîn.

Ychydig cyn 6.30 y noson honno, a hithau wedi gorffen ei gwaith, gadawodd Amanda'r adeilad i fynd adref. Ond diflannodd i'r nos ac ni welwyd hi'n fyw byth wedyn gan neb ond ei llofrudd.

Dyn duwiol oedd Donald Rees, perchennog y ffatri a fynychai eglwys efengylaidd yng Nghasllwchwr. Ef oedd â gofal y gwin cymun ac fe'i cadwai mewn ystafell yn y ffatri a elwid gan y gweithwyr yn 'Ystafell y Gwin Cymun'.

Tua 2.30 brynhawn trannoeth daethpwyd o hyd i gorff Amanda mewn cwter ddofn ger Fferm Tŷ Du rhwng Felinfoel a Phum Heol, ddwy filltir a hanner o'i chartref. Roedd ganddi anafiadau dwfn i'w phen, a doedd dim dwywaith iddi gael ei llofruddio. Roedd ei dillad i gyd amdani ar wahân i'r siwmper lliw tanjerîn. Awgrymai absenoldeb honno i'r ymosodiad arni fod yn un rhywiol.

Wrth archwilio'r corff canfuwyd nifer o ffibrau porffor ar ei dillad ac yn arbennig ar rannau noeth ei chorff. Sylweddolwyd bod y ffibrau hyn yn rhai anarferol iawn, ac wedi'u gwneud o laeth glas, neu laeth sgim. Aethpwyd ati'n ddi-oed i chwilio am ddyn a wisgai'r fath ddilledyn. Wedi tair wythnos, deallwyd mai'r Eidal oedd yr unig fan lle cynhyrchwyd y fath siwmperi, a hynny rhwng pymtheng ac ugain mlynedd cyn y llofruddiaeth. Ni fu gwerthu mawr arnynt a buan y daeth y cynhyrchu i ben.

Cliw arall oedd bod paent glas ar yr arf llym a ddefnyddiwyd i ladd Amanda, a haenen o farnais dros y paent. Canfuwyd darnau bychain o'r paent a'r farnais yn yr anafiadau. Hefyd roedd ôl esgid chwith rhywun i'w weld yn glir ar drowsus Amanda.

Tua dwy flynedd cyn y llofruddiaeth roedd un o weithwyr y ffatri wedi prynu bwyell mewn siop yn Llanelli ac wedi ei chadw yn y ffatri ar gyfer torri coed tân. Cofiai ei pherchennog mai paent glas oedd arni. Cafwyd bod y fwyell wedi diflannu. Dywedodd y siopwraig a'i gwerthodd iddi brynu cyflenwad o'r bwyeill gan fasnachwr Iddewig yn

East End Llundain.

Teithiodd y Ditectif Tony Brindsen i Lundain a chadarnhaodd y masnachwr iddo werthu bwyeill glas golau i'r siop yn Llanelli. Roedd y stoc wedi'i gwerthu, meddai, ond cofiodd iddo fethu â gwerthu un am ei bod wedi torri. Chwiliodd y llofft yn ei stordy a daeth o hyd iddi. Pan gymharwyd y paent glas a'r farnais ar honno â'r olion oedd yn anafiadau Amanda, canfuwyd eu bod yn cyfateb a bod cyfansoddiad cemegol y ddwy ffynhonnell yn union yr un fath.

Mecanydd y ffatri oedd dyn 30 oed o'r enw Graham Bowen. Roedd ei briodas gyntaf wedi methu ac ailbriododd wyth mis cyn y llofruddiaeth. Roedd ef a'i ail wraig, Marie, yn byw yn Heol y Bryn, Casllwchwr. Roedd Marie, fel Donald Rees, yn efengylydd ac yn aelod o'r un capel ag ef. Ar noson diflaniad Amanda roedd hi mewn cwrdd gweddi. Roedd ei gŵr wedi methu mynd am fod ganddo waith ychwanegol i'w wneud yn y ffatri. Felly, roedd Graham Bowen yn gweithio ar ei ben ei hun pan ddiflannodd Amanda. A daeth yn amlwg hefyd mai'r unig le y gallasai Amanda fod wedi mynd o'r stordy oedd i mewn i'r ffatri.

At hynny, cafwyd tystiolaeth gan ddau fachgen ysgol iddynt glywed Bowen yn dweud un tro mai ei uchelgais oedd cael rhyw gyda merch ysgol. Felly, fe ddaeth Graham Bowen i mewn i'r ffrâm.

O'i holi'r tro cyntaf, dywedodd iddo dreulio'r amser yn addasu clytsh ei gar ar y noson dyngedfennol. Ond pan archwiliodd y Cwnstabl Paul Price y car ni welodd unrhyw arwydd o gwbl o waith ar y clytsh. Gorweddai haenen drwchus o lwch ac olew dros y cyfan.

Yna, canfuwyd bod patrwm esgid chwith Bowen yn cyfateb yn union i'r ôl ar drowsus Amanda. Ac ar ben y cyfan, roedd ganddo siwmper borffor ac ynddi ffibrau wedi'u gwneud o laeth glas. Honnodd mai rhodd gan ei fam-yng-nghyfraith oedd y siwmper. Cadarnhaodd hithau iddi brynu'r siwmper i'w gŵr pan oeddynt ar wyliau yn Rhufain yn 1965. Pan fu farw hwnnw, fe roddodd y dilledyn i'w mab-yng-nghyfraith. Roedd y darnau'n disgyn i'w lle.

Ceisiodd Bowen esbonio presenoldeb y ffibrau ar Amanda. Dywedodd iddi fod yn y ffatri rai dyddiau cyn ei diflaniad a'i fod wedi'i goglais. Ond tystiodd ei mam i'r ferch gael cawod cyn mynd i'r ysgol fore'i diflaniad. Gofynnwyd i blismones wisgo'r siwmper i'r gwely drwy'r nos a chael cawod y bore wedyn. Doedd yr un o'r ffibrau wedi glynu wrthi. Gwnaeth yr un peth y noson wedyn, ond heb gael cawod ar ôl codi. Dim ond un ffibr oedd wedi glynu wrth ei chorff. Sut, felly, oedd esbonio'r cannoedd o ffibrau a gafwyd ar gorff Amanda? Roedd yn rhaid bod y llofrudd wedi'u gadael arni wrth iddo'i chario i'r gwter.

Gwadu'r cyfan wnaeth Bowen. Cafodd ei arestio a'i gyhuddo ac ymddangosodd gerbron yr Ustus Tasker Watkins V.C. yn Llys y Goron, Abertawe, ym mis Mawrth 1979. Profwyd ef yn euog a dedfrydwyd ef i garchar am oes. Wrth i'r gyfrol hon fynd i'r wasg mae'n dal yno, ac yn dal i wadu iddo lofruddio Amanda Randall.

William Butler

Ni wyddai neb i sicrwydd pwy oedd William Butler hyd nes iddo gael ei roi ar brawf am lofruddiaeth yn 1909. Dyna pryd y sylweddolwyd mai ei enw gwreiddiol oedd Thomas Clements ac iddo gael ei eni yn Nebley, plwyf Westerleigh yn Swydd Gaerloyw. Ond roedd un peth yn sicr – roedd yn lleidr ac yn ddyn peryglus iawn.

Ar 21 Mehefin, 1865, fe garcharwyd Clements am chwe mis am ddwyn ieir yn ardal Cross Hands. Fis Gorffennaf y flwyddyn ddilynol fe'i carcharwyd am naw mis gan Frawdlys Caerloyw am ddwyn moch. Yn ystod y blynyddoedd nesaf cafodd ei garcharu a'i ddedfrydu i benyd-wasanaeth nifer o weithiau am ddwyn ieir a moch. Erbyn iddo ymddangos gerbron llys ar 16 Chwefror 1893, roedd Clements wedi newid ei enw i William Butler. Fe'i carcharwyd am ddau fis y tro hwnnw am ddwyn ieir.

Am yr un mlynedd ar ddeg nesaf daeth yr enwau George Brown a George Clements i sylw'r heddlu droeon. Ond enwau eraill a fabwysiadwyd gan Butler oedd y rhain. Fe'i cafwyd yn ddieuog o fwrgleriaeth ac o saethu at ferch yn ystod y cyfnod hwn. Yna, ymddangosodd eto fel Thomas Palmer ar gyhuddiad o ddwyn ieir ac fe'i carcharwyd am ddeunaw mis. Roedd Butler bellach yn byw gyda gwraig o'r enw Miss Palmer yn Llanelly Hill ger Bryn-mawr, ac fel Mr a Mrs Palmer y caent eu hadnabod yn yr ardal.

Yn ddiweddarach eto, drwgdybiwyd ef o ddwyn ieir a galwodd y Rhingyll Alfred Winterson yn ei gartref. Wedi iddo guro ar y drws fe'i hwynebwyd gan Butler yn dal rifolfer yn ei law. Er hynny, llwyddodd y Rhingyll i'w ddwyn i'r ddalfa ac fe'i carcharwyd maes o law am ddeunaw mis gan Frawdlys Brycheiniog.

Ddiwedd 1909 symudodd i 3 Jones Terrace, Pye Corner, Maesaleg, Sir Fynwy lle cafodd lety gan Robert a Cicely Doodey. Cyn hynny bu'n lletya gyda theulu o'r enw West yn yr un dref. Roedd gan Mr a Mrs West ferch 15 oed o'r enw Florence. Er bod Butler erbyn hyn yn 60 oed – honnai ei fod yn 78 oed ac wedi ymladd yn y Crimea – ymserchodd yn fawr yn Florence. Er iddo ymbil ac erfyn arni i'w briodi, ei wrthod wnaeth y ferch. Digiodd yntau a'i bygwth. Am y drosedd hon fe'i dedfrydwyd i gadw'r heddwch am flwyddyn, a'i orchymyn i dalu gwarant o £10 a 12s.6d. o gostau gyda charchar am 14 diwrnod pe gwrthodai. Gwrthod a wnaeth a danfonwyd ef i garchar.

Cyn i Butler ymddangos yn y llys canfu Frederick, mab Mr a Mrs West, allwedd ar sil ffenest gefn y tŷ. Yn ddiweddarach, sylweddolodd Mrs West nad oedd wedi gweld pâr oedrannus oedd yn gymdogion iddi o gwbl y diwrnod hwnnw. Aeth hi a chymdoges arall, Alice Llewellyn, i edrych am Charles a Mary Thomas a chael bod drws eu cartref, *Tank Cottage*, dan glo. Aeth Mrs West i nôl yr allwedd a ganfu ei mab ar sil y ffenest a chael ei bod hi'n ffitio drws y bwthyn. Aeth y ddwy gymdoges i mewn a chanfod y lle mewn anhrefn. Galwyd yr heddlu a chanfu'r Cwnstabl Thomas Bale ddau gorff ar wely yn y llofft, y ddau wedi dioddef anafiadau difrifol i'w pennau. Canfu hefyd bwrs gwag. Defnyddiwyd siaced i orchuddio un o'r ffenestri er mwyn ei thorri'n haws – siaced Florence West.

Pan ymddangosodd Butler yn y llys y bore canlynol i

ateb y cyhuddiad o fethu â thalu'r warant a'r costau, cafwyd bod ganddo wyth hanner coron yn ei boced ynghyd â thri phishyn deuswllt a chwe phishyn swllt, cyfanswm o £1.60 yn arian heddiw. Yn ei boced, hefyd, roedd torrwr gwydr. Canfuwyd bod Butler, y diwrnod cynt, wedi talu dwy gini i'w gyfreithiwr am ei gynrychioli. Mynnodd iddo gael yr arian drwy ennill bet ar y Derby, ond profwyd mai celwydd noeth oedd hyn. Clywodd y llys hefyd iddo fenthyca chwe cheiniog oddi wrth gymdoges ddiwrnod cyn y llofruddiaeth. Cafwyd tystiolaeth gan fwy nag un person iddynt sylwi bod gan Butler arian yn ei feddiant ar yr adeg dan sylw.

Dangosai'r dystiolaeth i Butler gael arian i'w ddwylo'n sydyn iawn. Canfuwyd hefyd rwyg yn ei lawes oedd yn cyfateb i'r gwydr toredig yn ffenest *Tank Cottage*. Archwiliwyd ei ddillad gan y Dadansoddwr Sirol, George R. Thompson, a chafwyd bod hyd at 30 o smotiau gwaed ar lawes ei grys ac ar ei siaced, smotiau oedd yn cyfateb i'r rhai a ganfuwyd hefyd ar bared llofft y pâr a lofruddiwyd.

Ymddangosodd Butler gerbron yr Ustus Grantham ym Mrawdlys Trefynwy ddydd Mercher, 23 Chwefror 1910. Plediodd yn ddieuog o lofruddio ond ni chymerodd y rheithgor ond deng munud i'w gael yn euog.

Erbyn hyn roedd Adran Olion Bysedd Scotland Yard wedi cymharu olion bysedd Thomas Clements a William Butler ynghyd â rhai George Brown, George Clements a Thomas Palmer, a chael mai olion yr un dyn oeddynt i gyd. Yn groes i'r arfer, datgelwyd ei droseddau blaenorol cyn iddo gael ei brofi'n euog.

Am wyth o'r gloch fore Iau, 24 Mawrth 1910, crogwyd Thomas Clements yng Ngharchar Brynbuga gan Henry Pierrepoint a John Ellis. Ar yr union adeg fe ganodd cloch Eglwys y Plwyf.

Roedd torf wedi ymgasglu y tu allan i ddrysau'r carchar a dringodd un bachgen goeden mewn cae cyfagos er mwyn edrych dros y muriau. Ni welodd ddim ond clywyd yn glir y drws trap yn disgyn.

Wedi iddo hongian am yr awr angenrheidiol tynnwyd corff Thomas Clements, neu William Butler, i lawr a'i osod mewn arch o bren llwyfen wedi'i pheintio'n ddu. Yn ystod y cwest gofynnodd y pen-rheithiwr, y Parchedig J. Glyn Williams, a oedd Clements wedi ceisio gwrthsefyll y dienyddio. Atebodd rheolwr y carchar iddo ddisgwyl hynny ond i Clements fynd i'r crocbren yn dawel.

Jeremiah Callaghan

Gwyddel oedd Jeremiah Callaghan a drigai yn Nhredegar. 'Jeremy Canteen' oedd enw'i ffrindiau arno. Ymsefydlodd yn Nhredegar ar ôl gadael y fyddin ac yn y dref honno y cyfarfu â'i gariad, Hannah Shea. Ganwyd iddynt chwech o blant ond bu farw dau ohonynt yn ifanc.

Treuliai Callaghan lawer o'i ddyddiau yn nhafarndai'r ardal, ac oherwydd ei ddiogi a'i ddiota, ni allai gynnal ei deulu. Gorfu i Hannah a'r plant fynd i dloty Undeb Bedwellte ac aeth ef i chwilio am lety. Er eu bod bellach wedi'u gwahanu arferai'r teulu gyfarfod ar y penwythnosau ac ymddangosai fod Hannah yn hapus â'r trefniant. Hynny, hwyrach, a barodd i Callaghan amau fod ganddi ddyn arall. Tybiai hefyd ei bod hi'n gwario hynny o arian oedd ganddi ar ddiod.

Fore Sadwrn, 4 Hydref 1902, cerddodd Hannah a'r plant yng nghwmni nifer o ffrindiau i Dredegar i gyfarfod â Callaghan. Yr wythnos honno roedd yntau wedi bod yn labro i saer maen o'r enw Morgan yn North Lane, a disgwyliai gael ei dalu'r prynhawn hwnnw.

Ger swyddfa'r orsaf yn Nhredegar danfonodd Hannah ei mab, Jeremiah, a oedd yn 14 oed, i weld Mr Phillips y swyddog elusennau i ofyn am nodyn a alluogai'r teulu i ddychwelyd i'r tloty y noson honno. Ar ôl ailymuno â'i fam fe alwodd y llanc yn iard Morgan, lle gweithiai ei dad, i'w hysbysu bod y teulu yn y dref. Safodd gyda'i dad nes i hwnnw orffen ei waith.

Wedi iddo gael ei dalu fe aeth Callaghan a'i fab i chwilio am Hannah a'r plant eraill. Galwodd yn y Llew Coch lle gwelodd ddwy fenyw, Mary Clifford a Mary Price, a oedd wedi cyd-deithio gyda Hannah i'r dref. Cafodd wybod ganddynt fod Hannah wedi mynd ar hyd Commercial Road gyda menyw o'r enw Prothero i nôl nodyn oddi wrth y swyddog elusennau. Ond gwyddai Callaghan fod y nodyn ym meddiant ei fab. Maes o law canfu Hannah a Mrs Prothero tu allan i dafarn *Y Glowyr*. Gwylltiodd a'i chyhuddo o afradu ei harian. Fe'i trawodd nes iddi ddisgyn. Wedi iddi godi aeth ar hyd Stryd yr Eglwys lle cwynodd wrth blismon am ymddygiad Callaghan.

Yn nes ymlaen galwodd y ddwy wraig a'r plant yn nhafarn y *Circle*. Roedd Callaghan yno eisoes a phrynodd ddiod i'r ddwy wraig. Arhosodd y plant tu allan. Yna, fel pe baent wedi cymodi, symudodd y teulu ymlaen i dafarn y *Black Prince* lle talodd Callaghan am chwart o gwrw.

Erbyn 5.30 ymddangosai Callaghan yn feddw iawn. Trodd y criw am yr orsaf reilffordd. Ger iard y farchnad, syrthiodd Callaghan ar y stryd ond llwyddodd i godi a cherdded gyda'r lleill i gyfeiriad y tloty. Syrthiodd unwaith eto. Wrth gerdded ar hyd y llwybr a arweiniai at y tloty, cyfarfu'r criw â Jane Hannam.

Wrth i honno aros i sgwrsio fe welodd rywbeth yn disgleirio yn llaw Callaghan. Yna dyma fe'n gwthio Hannah yn erbyn wal frics gerllaw gan dynnu rhywbeth ar draws ei gwddf. Ffodd hithau gan sgrechian a cheisiodd y mab ei hamddiffyn drwy daflu cerrig at ei dad. Trodd Callaghan â golwg fygythiol ar ei wyneb ac fe ffodd y plant.

Ar ôl ychydig gamau fe syrthiodd Hannah ar y llwybr lle y'i gwelwyd gan lanhäwraig yn y tloty, Sarah Jane Morris o

67 Whitworth Terrace, a'i chariad. Gwelsant waed yn llifo o archoll yng ngwddf Hannah a rhedodd y cariad i hysbysu'r Uwcharolygydd Francis Allen.

Ceisiodd glöwr o'r enw William John Pritchard, a nyrs o'r enw Amy Lucy Pearl ymgeleddu Hannah. Ond ofer fu eu hymdrechion gan iddi waedu i farwolaeth. Gafaelodd Meistr y Tloty, William Thomas yng ngholer Callaghan a'i arwain i'w swyddfa. Yn hollol hunanfeddiannol, tynnodd hwnnw getyn o'i boced a'i danio. Sylwodd William Thomas fod gwaed ar ei ddwylo. Yna dechreuodd Callaghan ddawnsio o gwmpas yr ystafell yn blentynnaidd. Y bore wedyn, wedi iddo sobri, synnodd o glywed y cyhuddiad yn ei erbyn. Yr unig gais a wnaeth yn Llys yr Heddlu oedd i weld ei blant, ond ni chaniatawyd ymweliad am eu bod mewn tloty.

Drannoeth, wedi'r cwest a gynhaliwyd o flaen y Crwner, James Barry, dychwelwyd dedfryd o lofruddiaeth yn ei erbyn a thraddodwyd ef i sefyll ei brawf. Dygwyd ef gerbron yr ynadon ddydd Sadwrn, 21 Hydref. R.H. Spencer oedd yn erlyn gyda Sydney Jenkins yn amddiffyn. Traddodwyd Callaghan i Frawdlys Sir Fynwy a dydd Sadwrn, 22 Tachwedd, safodd gerbron John Forbes C.F., Cofnodwr Hull. J.R.V. Marchant, yn cael ei gynorthwyo gan St John G. Micklethwaite, oedd yn erlyn gyda Harold Hardy'n amddiffyn.

Tystiodd tad Hannah, Frank Shea, iddo weld Callaghan yn taro'i ferch droeon ac iddo'i glywed yn bygwth fwy nag unwaith y torrai ei gwddf. Cafwyd tystiolaeth gan lygad-dystion i'r ymosodiad. Yn eu plith roedd Jane Hannam a ddywedodd iddi glywed Callaghan yn bygwth mai'r tloty fyddai cartref olaf Hannah.

Tystiodd Dr Isaac Crawford iddo weld Hannah tua 6.35 ond iddi farw ymhen deng munud. Roedd gwythïen ei gwddf – y *jugular* – wedi'i thorri, meddai. Dywedodd iddo ganfod Callaghan yn feddw ond heb arddangos arwyddion o *delirium tremens*, cyflwr sy'n deillio o oryfed. Dywedodd yr Uwcharolygydd Allen iddo ganfod yr arf a ddefnyddiwyd, yn dal yn wlyb gan waed, ym mhoced gwasgod y diffynnydd. Dangosai'r dystiolaeth fod y nodyn a roddai ganiatâd i Hannah a'i phlant aros yn y tloty yn dal yn ei llaw pan drywanwyd hi.

Er i Callaghan daeru na allai gofio dim am y llofruddiaeth, roedd meddyg Carchar Caerdydd, Dr Boulton, yn siŵr nad oedd yn wallgof. Ar ôl hanner awr o drafod, cafodd y rheithgor ef yn euog.

Ddydd Gwener, 12 Rhagfyr 1902, wynebodd Callaghan y rhaff yng Ngharchar Brynbuga. Y crogwr oedd William Billington gyda John Billington yn ei gynorthwyo. Dymuniad olaf y gŵr condemniedig oedd i'w blant gael eu codi yn y ffydd Gatholig. Cusanodd groes fach a ddaliai'r offeiriad, a chyn disgyn gwaeddodd: 'Fam Fendigaid, gweddïa drosof. Iesu, cymorth fi'.

Roedd Callaghan yn 42 oed a Hannah bedair blynedd yn iau nag ef.

Noah Percy Collins

Un bychan o gorff oedd Noah Percy Collins na phwysai ond wyth stôn. Ond pan grogwyd ef yng Ngharchar Caerdydd ar ddiwrnod olaf Rhagfyr 1908, rhoddwyd cwymp iddo o saith troedfedd a chwe modfedd.

Ganwyd Collins yn Nhregatwg ger Y Barri ar 12 Rhagfyr 1883. Collodd ei rieni pan oedd yn blentyn ac wedi iddo dyfu'n laslanc penderfynodd deithio'r byd gan ymgymryd â phob math o waith. Yn New Orleans bu'n farman, yn ddyn gwartheg ac yn löwr. Yn India bu'n gynaeafwr mefus, yn forwr ac yn filwr. Yn Ne Affrica bu'n aelod o'r *Colonial Mounted Force* a bu'n ymladd yn Rhyfel y Boeriaid.

Erbyn 1908 roedd Collins 'nôl yng Nghymru ac yn gweithio yng nglofa'r Windsor ger Abertridwr. Cafodd lety yn 5 Teras Aberfawr, a rhannai ystafell wely gyda dau arall, William Lawrence, mab y lletywraig, a John Donovan. Roedd y naill yn löwr a'r llall yn weithiwr rheilffordd. Erbyn hyn câi Collins ei adnabod fel 'Patrick'.

Gwraig i forwr oedd Alma Dorothy Lawrence, perchennog y tŷ. Ar y pryd roedd ei gŵr ar fordaith ddwy flynedd i America. Roedd ganddynt ddwy ferch, Annie Dorothy, 19 oed a Beatrice Maude, 14 oed.

Pan gododd John Donovan a William Lawrence yn gynnar fore Llun, 17 Awst, dywedodd Collins ei fod am gymryd diwrnod yn rhydd i holi am waith arall ar wyneb y lofa. Ar ôl brecwast gadawodd William am ei waith gan adael Annie, ei chwaer, yn y gegin. Yna, wrth i'r fam godi tua 6.45 clywodd sgrech o'r gegin. Adnabu lais Annie a rhuthrodd i lawr y grisiau. Cafodd drafferth i agor drws y gegin gan fod rhyw wrthrych yn y ffordd. Wedi llwyddo i'w agor, gwelodd Annie'n gorwedd ar lawr mewn pwll o waed a Collins yn sefyll drosti. Pan welodd yntau'r fam, trodd ar ei sawdl a'i heglu hi.

Wedi ei brawychu gan yr olygfa arswydus, rhedodd y fam o'r tŷ yn sgrechian. Fe'i clywyd gan Thomas Williams, cymydog iddi. 'Dewch glou,' galwodd yn ddagreuol, 'mae'r sgamp yna wedi llofruddio 'nghroten i.'

Wrth iddo geisio'i chodi, sylwodd Thomas Williams nad oedd y ferch yn anadlu. Gwelodd ddwy gyllell ar y llawr ac roedd un ohonynt yn rhannol o dan gorff y ferch. Gadawodd Mrs Lawrence yng nghwmni cymydog arall, Samuel Thorne o 11 Teras Aberfawr, er mwyn galw'r heddlu. Maes o law cyrhaeddodd y Cwnstabl Charles Prosser, ac yna'r meddyg, Dr James Patrick Burke. Cymerodd yr heddwas y ddwy gyllell i'w ofal – roedd carn un wedi torri a gwaed ar lafnau'r ddwy.

Lai na chanllath o'r tŷ safai bocs cyffordd y rheilffordd. Lewis Greenway oedd enw'r signalwr a leolwyd yno. Roedd ef wedi clywed y sgrechian hefyd ond ar ôl rhuthro i gyfeiriad y cythrwfl gwelodd ei bod hi'n rhy hwyr i helpu'r ferch. Awr yn ddiweddarach, ac yntau wedi dychwelyd at ei waith, gwelodd ddyn yn cerdded tuag ato ar hyd y rheilffordd. Roedd cadach yn diferu gan waed wedi'i lapio am ei law dde. Collins oedd yno!

Cerddodd Collins draw at Greenway a dweud wrtho am alw'r heddlu. Pan gyrhaeddodd y Cwnstabl Prosser, geiriau cyntaf Collins iddo oedd: 'Ydi hi'n farw?' Mewn cyfweliad â'r Rhingyll Richard Walters cyfaddefodd iddo lofruddio

Annie, ac ychwanegodd iddo fygwth ei lladd chwe mis yn gynharach oni ddeuai'n ôl ato. Gwyddai y byddai'n wynebu'r gosb eithaf pe gwnâi hynny. Ond y bore hwnnw roedd Annie wedi gwrthod cusan ac fe'i trywanodd. Roedd yn bendant na fyddai wedi ymosod arni petai hi wedi cytuno i'w gusanu. Cadarnhaodd mai ef oedd perchennog y ddwy gyllell. Pan archwiliwyd ef cafwyd ei fod yn gwisgo tlws am ei wddf. Yn y tlws roedd llun o Annie.

Dangosodd yr archwiliad *post mortem* a gynhaliwyd gan Dr Burke fod y corn gwddf a'r biben wynt wedi'u torri. Dangosai archollion eraill i Annie geisio'i hamddiffyn ei hun. Canfu y gallai unrhyw un o saith trywaniad fod wedi'i lladd.

Fore trannoeth, yn y cwest yng ngorsaf heddlu Senghennydd gerbron y Crwner, David Rees, tair munud yn unig gymerodd y rheithgor i ddwyn dedfryd o lofruddiaeth. Ddydd Mawrth, 25 Awst, ymddangosodd Collins yn Llys yr Heddlu gyda D.W. Evans yn erlyn. Danfonwyd ef i sefyll ei brawf ym Mrawdlys Morgannwg ddydd Gwener, 11 Rhagfyr. Y Barnwr yn yr achos oedd yr Ustus Buckhill. Yn ymddangos ar ran y Goron roedd J. Ellis Griffiths A.S. gyda Clement Edwards A.S. yn ei gynorthwyo. Ivor Bowen oedd yn amddiffyn.

Tystiodd Dominico Casale, haearnwerthwr o Heol Bute, Caerdydd, iddo werthu'r ddwy gyllell i Collins ddeuddydd cyn y llofruddiaeth am 3s 11d yr un. Cofiai i Collins fargeinio ynglŷn â'r pris ac iddo gytuno i'w gwerthu iddo am saith geiniog yn llai na'r pris llawn.

Maentumiodd Collins fod Annie wedi addo'i briodi, ond gwadu hyn wnaeth gwahanol dystion. Honnodd hefyd i'r ddau ohonynt fynd gyda'i gilydd i Weston-Super-Mare. Roedd hynny i raddau yn wir, ond eu bod ar drip Côr Eglwysilan ymhlith fwy na deg ar hugain o bobl eraill.

Cyflwynwyd gerbron y llys lythyr caru y mynnai Collins i Annie ei anfon ato. Ond mynnodd William, ei brawd, nad yn llawysgrifen ei chwaer yr ysgrifennwyd y llythyr.

Er i'r Amddiffyniad geisio profi bod Collins yn wallgof, saith munud yn unig gymerodd y rheithgor i'w gael yn euog. Dychwelwyd y tlws gwddf iddo a gwisgai'r fedal a gyflwynwyd iddo adeg Rhyfel y Boeriaid drwy gydol yr achos.

Casglwyd enwau ar ddeiseb i'w hanfon at yr Ysgrifennydd Cartref yn ymbil am drugaredd. Wrth iddo ddisgwyl ei dranc anfonodd Collins lythyr i'r *South Wales Echo* yn cyfaddef ei ran. Un sylw iasoer a wnaeth oedd hyn: 'Mae'r merched hynny sy'n cael digon ar ddynion ar ôl addo'u priodi yn well yn farw nag yn fyw'.

Ceisiodd Caplan Carchar Caerdydd ei berswadio i wynebu'r crocbren gyda'r un dewrder ag a ddangosodd yn Rhyfel y Boeriaid. Ateb Collins oedd bod ganddo obaith wrth wynebu marwolaeth ar faes y gad – doedd ganddo ddim gobaith bellach.

Am wyth o'r gloch fore Mercher, 30 Rhagfyr, crogwyd Noah Percy Collins gan y dienyddiwr Henry Pierrepoint, a John Ellis ei gynorthwywr.

William John Corbett

Bu'r flwyddyn 1931 yn un brysur i grogwyr. Crogwyd un ar ddeg o lofruddion yng Nghymru a Lloegr yn ystod y flwyddyn honno a'r nawfed ohonynt, ar 12 Awst, oedd William John Corbett.

Glöwr oedd Corbett ac yn 1917, ac yntau'n 22 oed, priododd ag Ethel Louisa Jones a oedd flwyddyn yn iau nag ef. Aeth y ddau i fyw mewn byngalo – 48 'Cae'r Bragdy, Caerffili – a ganwyd iddynt chwech o blant. Roedd Louisa eisoes wedi geni merch, Florence, yn ôl yn 1913 cyn iddi briodi.

Bu'r briodas yn hapus ddigon nes i Corbett golli ei waith yn 1930. Roedd Ethel yn disgwyl plentyn arall, ac am na dderbyniai'r gŵr ond 38 swllt o fudd-dâl diweithdra yr wythnos, roedd hi'n anodd cael y ddeupen ynghyd. Dechreuodd y cyfan bwyso ar ei feddwl ac aeth yn isel iawn ei ysbryd, mor isel nes y bygythiodd ladd ei hun.

Erbyn hyn roedd Florence, y ferch hynaf, yn 15 oed ac wedi'i chyflogi fel morwyn yn Llanisien. Ond bu'n rhaid iddi ddod adref i helpu ei mam dros gyfnod y geni. Ni wyddai Florence nad William John oedd ei thad go iawn. Bu'n gryn sioc iddi, felly, pan afaelodd William John ynddi a'i thynnu tuag ato ddydd Iau, 19 Mawrth 1931, tra oeddynt ill dau ar eu pennau eu hunain yn y byngalo. Gwaeddodd y ferch a'i dwyllo fod plismon y tu allan. Rhyddhaodd ei llystad hi a'i tharo, ond daliodd ar y cyfle i ddianc.

Prin wythnos yn ddiweddarach fe ddywedodd y ferch wrth ei mam am y digwyddiad. Ddydd Mercher, 25 Mawrth, heriodd Ethel ei gŵr yng ngŵydd Florence ac aeth yn ddadl rhyngddynt. Yna, aeth Florence ati i baratoi i ddychwelyd i Lanisien. Ceisiodd ei llystad ei hatal ond rhybuddiodd Ethel ef yr âi at yr heddlu. Aeth yn fwy o gweryl a datgelodd Florence ei bod hi'n gwybod bellach nad Corbett oedd ei thad go iawn. Yna, wedi i Ethel ddweud wrtho na fyddai hi'n gwahaniaethu rhwng y plant o gwbl, trawodd Corbett hi nifer o weithiau yn ei hwyneb. Ceisiodd Florence ymyrryd ond trawodd hithau hefyd. Syrthiodd i'r llawr a dechreuodd Corbett ei chicio. Ceisiodd Ethel helpu ei merch ond trawyd hi nes iddi ddisgyn ar y soffa. Ar hynny, tynnodd Corbett rasal o'i boced a'i thynnu'n sydyn ar hyd gwddf ei wraig. Wrth i Florence geisio ymyrryd, trodd ar honno. Llwyddodd y ferch i afael yn y rasal a'i chuddio yn ei dillad cyn dal ar gyfle i ddianc. Aeth i chwilio, yn ofer, am blismon cyn galw ar gymdogion. Ond erbyn i'r rheiny gyrraedd, roedd Ethel wedi marw.

Ffodd Corbett i Goed y Maerdy lle daeth y Cwnstabl William Bowen o hyd iddo wedi torri'i wddf â chyllell cegin. Wrth iddo dderbyn triniaeth fe'i cyhuddwyd o lofruddio'i wraig. Pan ymddangosodd gerbron yr ynadon ar 8 Ebrill roedd ei wddf o hyd mewn rhwymyn a chlywyd ef yn mwmian: 'O, dier, sai'n gwbod beth dw i wedi'i wneud'. Tystiodd P.C. Bowen i Ethel adael dwy rasal yn ei feddiant y noson cynt gan ei bod hi'n ofni y gwnâi ei gŵr niwed iddo'i hun.

Yn yr archwiliad *post mortem* dywedodd Dr J.R. McManus mai un toriad yn unig oedd yng ngwddf Ethel, a hwnnw'n bum modfedd o hyd ac yn ddigon dwfn i hollti drwy'r *jugular*. Achos y farwolaeth oedd gwaedlif a sioc.

Traddodwyd Corbett i sefyll ei brawf ym Mrawdlys Abertawe ddydd Iau, 2 Gorffennaf, gyda Walter Samuel A.S. ac Ellis Lloyd A.S. yn erlyn a Trevor Hunter a Matabele Davies yn amddiffyn. Yr unig ddadl a gafwyd oedd ynghylch cyflwr meddwl y diffynnydd pan gyflawnodd y drosedd. Mynnai ei dwrnai i Corbett ladd ei wraig mewn cyflwr o gynddaredd. Wrth dystio, mynnai Corbett na fedrai gofio unrhyw beth am yr ymosodiad. Yn wir, ni ddeallodd fod ei wraig yn farw nes iddo gael ei gyhuddo'n ffurfiol gan yr Arolygydd Coles. Ar y pryd, fodd bynnag, roedd wedi cyfaddef ei euogrwydd ac wedi ceisio'i ladd ei hun.

Gadawodd y Barnwr i'r rheithgor ddod i benderfyniad ynghylch ymddygiad Corbett. A oedd ei ymddygiad yn ganlyniad i annormaledd a ddeilliai o'i iselder ysbryd? Ai dicter pur a'i sbardunodd? Ugain munud gymerodd y rheithgor i ddod i benderfyniad. Roedd Corbett yn euog o lofruddiaeth.

Apeliodd yn erbyn y ddedfryd a gwrandawyd ar ei apêl ddydd Llun, 27 Gorffennaf gan yr Arglwydd Brif Ustus Hewart a'r Ustusiaid Avory ac Acton. Prif ddadl yr Amddiffyniad oedd bod Corbett, adeg y drosedd, yn wallgof ac yn dioddef o'r pruddglwyf, gyda'r canlyniad na ellid ei ddal yn gyfrifol am y weithred.

Tystiodd Arolygwr Ysbyty Meddwl Dinas Caerdydd, Dr McGowan, fod perygl i'r rheiny a ddioddefai o'r pruddglwyf gyflawni hunanladdiad. Roedd posibilrwydd hefyd y gallent ladd rhywun arall. Teimlai fod y pruddglwyf yn waeth o lawer nag iselder ysbryd cyffredin ac, yn achos Corbett, ni fu gan hwnnw unrhyw fwriad amlwg i droseddu.

Ond deddfodd yr Arglwydd Brif Ustus nad gwaith y Llys Apêl oedd penderfynu ar iechyd meddwl carcharor oni wnaethai'r Brawdlys hynny eisoes. Byddai'n fwy addas, meddai, i'r Swyddfa Gartref drafod y mater.

Methodd yr apêl, a chrogwyd William John Corbett ddydd Mercher, 12 Awst 1931.

Llofruddiaeth Muriel Drinkwater

Hoff gân Muriel Drinkwater, merch ysgol ddeuddeg oed, oedd *'I'll Walk Beside You'*. Cerddai adref o'r ysgol drwy'r goedwig ar ei phen ei hun fel arfer, ond un prynhawn o haf cafodd angau'n gydymaith iddi. Heb fod nepell o'i chartref, fe'i treisiwyd ac fe'i llofruddiwyd.

Yn un o bedair chwaer, ganwyd Muriel yng Ngodrellain, Meidrim ger Caerfyrddin ar 19 Gorffennaf 1933, cyn i'r teulu symud i dyddyn o'r enw Tyle Du yn ddwfn yng Nghoed Penlle'r-gaer ger Gorseinon. Rhwng cartref y teulu a'r ffordd fawr safai dau dŷ, Melin Llan a Fferm Penderi.

Fis Medi 1945 cychwynnodd Muriel yn Ysgol Sir Tregŵyr. Golygai hynny y byddai'n rhaid iddi gerdded milltir neu fwy ar hyd llwybr drwy'r coed o'i chartref i'r heol fawr lle daliai fws ysgol. Roedd ynddi elfen gerddorol gref. Canai ar y ffordd yn ôl a blaen i'r ysgol, a'i llais yn atseinio drwy'r coed. 'Yr Eos' oedd enw'r bobl leol arni.

Erbyn diwedd y tri degau roedd Coed Penlle'r-gaer dan ofal y Comisiwn Coedwigaeth a gweithiai Percy Drinkwater, tad Muriel, i'r corff hwnnw. Fore Iau gadawodd y ferch am yr ysgol ychydig cyn wyth. Er ei bod hi'n ganol haf, dechreuodd lawio'n drwm tua 11.00 ac fe barhaodd y glaw drwy'r dydd. Wedi i oriau ysgol ddod i ben, daliodd Muriel y bws am adref a gwelodd Gladys Francis, gwraig Melin Llan, hi'n disgyn o'r bws tua 4.25. Tua phum munud yn ddiweddarach gwelwyd hi'n cerdded tuag adref drwy'r coed, a hynny gan fachgen ysgol o'r enw Brinley Hoyles a fu'n nôl wyau o Dyle Du, fel y gwnâi bob wythnos. Cyfarchodd y ddau ei gilydd cyn mynd yn eu blaenau.

Croesai dau lwybr ei gilydd yn y coed islaw Tyle Du a medrid gweld y groesffordd honno o ffenest y gegin. Ond rhwng y groesffordd a'r tŷ roedd pant, a byddai'r sawl a ymwelai â'r tŷ yn diflannu am funud neu ddwy cyn dod i'r golwg eto. O weld Muriel ar y groesffordd byddai ei mam yn mynd ati i baratoi te.

Ar y prynhawn dan sylw gwelodd y fam ei merch yn dod i'r golwg ger y groesffordd. Ar yr un pryd aeth y tad i gyrchu dŵr o'r ffynnon yn y cae o dan y tŷ. Dychwelodd hwnnw ymhen pum munud ond doedd dim sôn am Muriel. Chwiliwyd amdani drwy'r nos, ac ychydig cyn 11.00 fore trannoeth canfuwyd ei chorff ganllath o'r groesffordd a thua decllath i mewn i'r prysgwydd wrth ymyl y llwybr a arweiniai at Benderi. Roedd y ferch wedi'i threisio yn y modd mwyaf sadistaidd, ac wedi'i saethu. Roedd hi wedi dioddef anaf difrifol i gefn ei phen, anaf a awgrymai iddi gael ei tharo o'r tu ôl nes peri ei bod hi'n anymwybodol. Roedd dau dwll bwled yn ei brest.

Galwyd ar wasanaeth Scotland Yard a daeth y Ditectif Brif Arolygydd Chapman a'r Ditectif Ringyll Dawson i arwain yr ymchwiliad. Daethpwyd o hyd i bistol awtomatig .45 Americanaidd tua 21 troedfedd ymhellach i mewn yn y drain, pistol yn dwyn y rhif 1142684, a chredwyd y gellid olrhain ei hanes yn hawdd. Ond nid felly y bu. Er cynnal ymholiadau trylwyr ym Mhrydain ac yn yr Unol Daleithiau, ni ddaethpwyd o hyd i'r perchennog.

Doedd neb yn yr ardal wedi clywed sŵn ergydion gwn, gan gynnwys y rhieni ac Elisabeth Rees, cyfnither i Muriel oedd yn byw gyda'r teulu ac yn gweithio mewn siop yng Ngorseinon. Roedd hi eisoes wedi dod adref o'i gwaith gan ei fod yn ddiwrnod cau'n gynnar.

Doedd Gladys Francis, Brinley Hoyles na John Davies, mab Penderi, ddim wedi sylwi ar unrhyw beth drwgdybus. Roedd John wedi bod yn nôl y gwartheg i'w godro gyda'i gi defaid tua 4.20 ac wedi bod mewn cae o fewn 400 llath i'r fan lle canfuwyd y corff. Ond adeg y llofruddiaeth fe fyddai wedi cyrraedd clos y fferm ac allan o gyrraedd unrhyw sŵn amheus.

Holwyd cannoedd o bobl ledled y wlad a pharhaodd yr ymchwiliad am fisoedd lawer heb unrhyw lwyddiant. Erbyn hyn, mae'r mwyafrif o'r tystion wedi marw, gan gynnwys y Ditectif Brif Arolygydd Chapman. Yn eironig ddigon, o fewn wythnosau i'w farw ef, cyflawnodd ei fab hunanladdiad ar ôl lladd ei wraig.

Daniel Driscoll ac Edward a John Rowlands

Bocsiwr pwysau welter proffesiynol oedd Dai Lewis o Gaerdydd, ond pan ddaeth ei ddyddiau yn y ring i ben yng nghanol y dau ddegau, aeth i weithio ar ei liwt ei hun ar y cyrsiau rasio. Dechreuodd drwy hurio seddau bychain i'r bwcis, darparu sialc iddynt ysgrifennu ar eu byrddau, a chyflenwadau o ddŵr a sbwng ar gyfer eu glanhau.

Bu rasys ceffylau neu filgwn erioed yn fannau sy'n denu gangiau a drwgweithredwyr, a chan fod Dai yn gyn-focsiwr câi ei gyflogi gan y bwcis hefyd fel gwarchodwr. Cwrs rasio Trefynwy oedd canolbwynt ei fusnes a gwnâi fywoliaeth weddol onest yno. Ond yng Nghaerdydd y trigai, ac ym mis Medi 1927 ceisiodd ei lwc ar gwrs Trelái, cwrs oedd yn eiddo i ddau frawd, John ac Edward 'Titsh' Rowlands, gangsters a huriai nifer o weithwyr.

Pan welwyd Dai ar y cwrs brynhawn Mercher, 28 Medi, cafodd ei fygwth a ffodd am ei fywyd. Cadwodd draw o'i gartref yn Stryd Ethel a phenderfynodd aros yn nhafarn y *Blue Anchor* yn Stryd y Santes Fair yn y ddinas, safle bwyty *Le Monde* a'r *Brasserie* heddiw.

Wedi iddo ddychwelyd i'r dafarn o Drefynwy y diwrnod canlynol, gwelodd Dai fod y Brodyr Rowlands ac aelodau o'u gang yno'n disgwyl amdano. Ond gadawsant cyn amser cau a dechreuodd Dai ymlacio. Ond heb yn wybod iddo, roedd y gang wedi ailymgynnull mewn caffi ar draws y

51

stryd. Mentrodd Dai allan ond cerddodd John Rowlands ac aelod o'i gang, William Price, i fyny ato. Ymosodwyd arno o'r tu cefn, ac er iddo lwyddo i daflu nifer o ergydion tuag at ei ymosodwyr trawyd ef i'r llawr a thrywanwyd ef yn ei wddf â chyllell. Ffodd y gang gan adael Dai yn gwaedu ar y palmant. Fe'i rhuthrwyd i Ysbyty Brenhinol y ddinas lle cafodd driniaeth frys. Ond pan holwyd ef ynglŷn â'r ymosodiad, cadwodd yn driw i'r hen wireb honno a fyn fod yna anrhydedd ymhlith lladron. Gwrthododd enwi gymaint ag un o'i ymosodwyr.

Tra oedd Dai yn yr ysbyty, derbyniwyd galwad ffôn gan un o'r nyrsys – llais dyn yn gofyn am gyflwr Dai Lewis. Gwrthododd y dyn roi ei enw. Wedi hanner nos derbyniodd y nyrs alwad arall o'r un natur. Erbyn y trydydd ymholiad llwyddodd yr heddlu i olrhain yr alwad i'r *Colonial Club* yn Stryd Tŷ'r Tollau. Yn y cyfamser, fodd bynnag, roedd yr heddlu wedi derbyn gwybodaeth gyfrinachol mai gang y brodyr Rowlands oedd y tu ôl i'r ymosodiad.

Yng nghlwb y *Colonial* arestiwyd y brodyr Rowlands, William Price a dau aelod arall o'r gang, John Hughes a Danny Driscoll, a'u cyhuddo o geisio llofruddio Dai Lewis.

Aethpwyd unwaith eto at erchwyn gwely Dai lle bu'r heddlu, ynghyd ag Ynad Heddwch a'i glerc, yn ceisio cael datganiad ganddo. Cyrchwyd y pump cyhuddedig yno hefyd i'w wynebu ar ei wely angau. Ond dal i wrthod cydweithio â'r heddlu wnaeth yntau. Yn wir, trodd at Edward 'Titsh' Rowlands a dweud yn benodol nad oedd a wnelo yntau ddim â'r ymosodiad. Roedd y ddau ohonynt, meddai, yn ffrindiau. Yna, trodd at Driscoll gan ddweud yr un peth am hwnnw a'i alw'n 'hen gyfaill annwyl'. Dyna oedd ei eiriau olaf.

Gwadu'r cyhuddiadau wnaeth y pum carcharor, ond ar ôl rhai dyddiau cyfaddefodd John Rowlands iddo ef a'i gang ymosod ar Dai Lewis. Honnodd i Lewis ei hun dynnu cyllell o'i boced ac ymosod arno ef. Wrth iddo amddiffyn ei hun, meddai, trywanwyd Dai yn ddamweiniol. Dal i wadu unrhyw ran yn yr ymosodiad wnaeth y lleill, ac yn absenoldeb unrhyw dystiolaeth yn ei erbyn, rhyddhawyd John Hughes.

Ymddangosodd y pedwar arall ym Mrawdlys Morgannwg ddydd Mawrth, 29 Tachwedd, gerbron y Barnwr Mr Ustus Wright. Yn ymddangos ar ran y Goron roedd yr Arglwydd Halsbury. Yn ystod y gwrandawiad, a barodd am dridiau, haerwyd bod Driscoll ac Edward Rowlands wedi dal Dai Lewis ar y llawr tra bod Edward 'Titsh' Rowlands yn torri ei wddf. Ddydd Gwener, 2 Rhagfyr, cafwyd y brodyr Rowlands a Driscoll yn euog a dedfrydwyd y tri i'w crogi. Cafwyd Price yn ddieuog. Apeliodd y tri yn aflwyddiannus yn erbyn y ddedfryd gerbron yr Arglwydd Brif Ustus, yr Arglwydd Hewart, yr Ustus Avory a'r Ustus Branson.

Roedd teimladau cryf ymhlith y cyhoedd yng Nghaerdydd ac arwyddwyd deiseb gan chwarter miliwn o bobl yn gwrthwynebu'r dienyddio. Derbyniwyd 64,000 o enwau o Birmingham. Yn eu plith roedd llofnod Archesgob y ddinas honno, nifer o Aelodau Seneddol, ynadon a hyd yn oed wyth aelod o'r rheithgor. Ond gwrthod cynghori'r Brenin i ymyrryd â chwrs cyfiawnder a wnaeth yr Ysgrifennydd Cartref, Syr Austen Chamberlain. Yn fuan wedi'r apêl, cadarnhawyd bod John Rowlands wedi gwallgofi a chaethiwyd ef yn Broadmoor am weddill ei oes, ac yno y bu farw.

Ddydd Sadwrn, 27 Ionawr, crogwyd Danny Driscoll, 34 oed ac Edward Rowlands, 40 oed gyda'i gilydd yng Ngharchar Caerdydd. Chwerthin a chellwair wnaeth Driscoll ar ei ffordd i'r crocbren. Diolchodd am ddiwrnod braf a gofynnodd pa gwlwm rhedeg oedd ei un ef. Llewygodd Rowlands mewn arswyd a bu'n rhaid ei gario'n anymwybodol a'i osod gefn wrth gefn â Driscoll ar yr un drws trap. Gwthiodd y crogwr y lifer gan anfon y ddau i'w tranc. Y crogwr oedd Robert Baxter, ac fe'i cynorthwywyd gan Thomas Phillips, Lionel Mann a Robert Wilson.

Wrth i'r gyfrol hon fynd i'r wasg cyhoeddodd y *CCRC*, y corff sy'n ymchwilio i gam-weinyddiadau cyfiawnder, y bwriada ailarchwilio achos Driscoll. Un sail i'r apêl yw'r methiant i alw tyst a fynnai na chymerodd Driscoll unrhyw ran yn yr ymosodiad. Honnir hefyd i'r Barnwr benderfynu y câi Driscoll a Rowlands eu crogi doed a ddelo fel esiampl i eraill, oherwydd y trais a fodolai ar strydoedd Caerdydd ar y pryd.

John Edmunds

A hithau ond yn ddeg oed, roedd Kathleen Evans yn llygad-dyst i effaith ymosodiad mileinig ar gymdoges.

Merch fferm Nant-y-Maelor ger Abersychan oedd Kathleen, lle trigai hi a'i rhieni a'i brawd, Percy. Brynhawn Sadwrn, 20 Chwefror 1909, bwriadai aros yn fferm Garnwen nes y deuai ei rhieni adref o Bont-y-pŵl. Ond wrth iddi nesáu at ddrws y ffermdy hwnnw clywodd ochenaid a gwelodd wraig y fferm, Cecilia Harris, a'i hwyneb wedi'i orchuddio â gwaed. Rhedodd y ferch adref nerth ei thraed.

Tua awr yn hwyrach llwyddodd Cecilia i lusgo'i hun i gartref cymydog, William Rees, Penyrheol. Sylwodd Rees ar unwaith ar yr archoll ddofn oedd yn ei gwddf a thoriadau eraill ar ei hwyneb. Er gwaethaf ei chyflwr truenus, llwyddodd y wraig i sibrwd: 'Jac Edmunds y potsier wnaeth hyn i fi'. Danfonodd Rees ei ferch, Elizabeth Ann, i nôl y meddyg tra ei fod ef yn ceisio ymgeleddu Cecilia. Rhoddodd bensel a phapur iddi a llwyddodd honno i ysgrifennu: 'Saethodd Jac Edmunds fi, a thorri 'ngwddf i, a dwyn fy arian'.

Toc, cyrhaeddodd Dr Samuel McCormack. Sylwodd hwnnw ar y toriadau ar ddwylo'r wraig, arwyddion sicr iddi geisio amddiffyn ei hun yn erbyn ymosodiad â chyllell. Ar ei hwyneb gwelodd friw a achoswyd gan ergyd o ddryll a dorrodd asgwrn ei gên. Roedd y toriad glân ar ei gwddf yn arwydd pellach mai cyllell a ddefnyddiwyd. Yn wir, aethai'r llafn mor ddwfn fel y torrwyd y bibell wynt. Rhuthrwyd hi i Ysbyty Pont-y-pŵl lle cafodd driniaeth frys.

Fe'i holwyd gan yr heddlu cyn gynted ag oedd modd. Gwnaeth ddatganiad ysgrifenedig dan lw gerbron Ynad Heddwch. Dywedodd iddi weld dyn tua phump o'r gloch yn sefyll ar y mynydd gerllaw. Sylwodd ei fod yn cario dryll. Gwyddai pwy ydoedd, gŵr sengl o'r enw Jac Edmunds a drigai gyda'i fam yn 41 Y Stryd Fawr, Garndiffaith. Wedi i'r gwas, Albert Trumper, fynd ar ryw orchwyl aeth Cecilia allan i wacáu bwcedaid o ludw o'r lle tân. Gwelodd Edmunds yn ei gwrcwd yn yr ardd a danfonodd ef i ffwrdd. Cerddodd hwnnw tua'r das wair yn yr ydlan ac eisteddodd yno'n smygu. Pan ddywedodd wrtho eto am fynd, cododd Edmunds y gwn heb yngan gair a'i anelu ati. Wedi'i brawychu, rhedodd Cecilia i'r tŷ, ac o ffenest y llofft gwelodd ef yn torri ffenest y gegin ac yn dringo i mewn. Ceisiodd ffoi drwy ddrws y ffrynt ond dilynwyd hi gan Edmunds. Wrth iddi edrych yn ôl, taniodd hwnnw'r gwn ac fe'i trawyd yn ei cheg. Yna, cerddodd yn hamddenol tuag ati a'i threisio deirgwaith.

Pan oedd Edmunds wedi gorffen, llwyddodd Cecilia i godi a cherdded i'r gegin lle cynigiodd ei hymosodwr olchi ei hwyneb. Am ei bod yn ofni ymosodiad arall cynigiodd swm o arian iddo. Y cyfan oedd yn ei phwrs, a gedwid mewn drôr, oedd darn coron a chwe cheiniog. Gosododd Edmunds hwy yn ei boced. Dygodd hefyd wats Cecilia oedd yn yr un drôr â'i phwrs.

Maes o law, cododd Edmunds gyllell oddi ar fwrdd y gegin. Cydiodd yng ngwallt Cecilia, ac wrth iddi suddo i'r llawr, tynnodd ei phen yn ôl a thorri ei gwddf cyn mynd ati i daro'i phen drosodd a throsodd ar y llawr. Crefodd Cecilia arno i feddwl am ei fam. Wedi iddo'i rhyddhau, llwyddodd i redeg i ddrws y ffrynt. Dyna pryd gwelwyd hi gan Kathleen Evans. Ceisiodd Cecilia ddilyn y ferch, ond am fod neb ar gael yn Nant-y-Maelor pan gyrhaeddodd yno, llusgodd ei hun i Benyrheol.

Pan gyrhaeddodd yr Uwcharolygydd James a'r Rhingyll Albert Jones fferm Garnwen, roedd llanast yn eu hwynebu. Roedd y llawr yn orchudd o waed, roedd sachau wedi'u gwasgaru hwnt ac yma a chyllell waedlyd yn gorwedd ar un ohonynt. Roedd cwarel ffenest y gegin wedi'i dorri. Aethant yn ddi-oed i chwilio am Edmunds. Cawsant wybod gan gymydog iddo fod gartre'n gynharach yn ymolchi ei ddwylo a'i wyneb cyn mynd allan eto. Arestiwyd ef wrth iddo gyrraedd adref tua un o'r gloch fore trannoeth. Gwadodd y cyhuddiad yn ei erbyn a thyngodd ei fod yn cael te yng nghwmni merch o'r enw Mary Ann Taylor ar yr adeg dan sylw. Dywedodd iddo fod yn Theatr Aber yn ddiweddarach yng nghwmni Benjamin Hill. Ond aethpwyd ag ef i Ysbyty Pont-y-pŵl i wynebu Cecilia. Heb oedi, cadarnhaodd hithau mai ef oedd y dyn a ymosododd arni. Fe'i cyhuddwyd yn ffurfiol o drais ac o geisio llofruddio'r wraig.

Roedd hi'n ddiwedd Ebrill cyn i Cecilia fod yn ddigon iach i dystio mewn llys. Ddydd Gwener, 23 Ebrill, gerbron Ynadon Pont-y-pŵl, amlinellwyd yr achos gan Horace Lyn ar ran y Cyfarwyddwr Erlyniadau Cyhoeddus. Traddodwyd Edmunds i sefyll ei brawf ym Mrawdlys Sir Fynwy. Ond yn y cyfamser, gwaethygodd cyflwr Cecilia a bu farw. Yn yr archwiliad *post mortem* canfu'r Dr John Watson Mulligan mai trawiad ar y galon o ganlyniad i waedlif ar yr ysgyfaint a'i lladdodd.

Yn y cwest ddeuddydd yn ddiweddarach dychwelwyd dedfryd o lofruddio bwriadol a danfonwyd Edmunds i wynebu cyhuddiad mwy difrifol. Yn 24 oed, wynebodd yr

Ustus Ridley ddydd Llun, 7 Mehefin. Y bargyfreithiwr Cranstoun oedd yn arwain yr Erlyniad ac S.R.C. Bosanquet yn amddiffyn.

Gwadodd Edmunds iddo fod yn agos i Garnwen ar yr adeg dan sylw ond daeth nifer o dystion ymlaen i wrthbrofi hynny. Tystiodd dadansoddwr gwyddonol, George Rudd Thompson, fod profion ar waed ac ar flew gwallt yn profi cysylltiad corfforol rhwng Edmunds a Cecilia ac ni fu'r rheithgor yn hir cyn ei gael yn euog.

Mewn apêl, ceisiodd yr Amddiffyniad ddadlau, gerbron yr Arglwydd Brif Ustus Alverstone a'r Ustusiaid Jelf a Lawrence, nad oedd digon o dystiolaeth i brofi mai o'i hanafiadau y bu farw Cecilia Harris gan ei bod hi eisoes yn dioddef o fronceitus a chlefyd yr arennau. Gallai'r wraig 59 oed fod wedi marw beth bynnag. Dadleuwyd hefyd fod y dystiolaeth a gafwyd gan Cecilia'n ymwneud ag ymosodiad a thrais yn hytrach na llofruddiaeth a'i bod, felly, yn annerbyniol.

Gwrthodwyd y naill ddadl a'r llall ac am wyth o'r gloch fore Sadwrn, 3 Gorffennaf 1909, crogwyd John Edmunds yng Ngharchar Brynbuga. Y dienyddiwr oedd Henry Pierrepoint gyda John Ellis yn cynorthwyo.

Mae'n bur debyg y byddai Cecilia Harris wrth ei bodd petai'n gwybod fod Edmunds ar fin llewygu gan ofn pan arweiniwyd ef tua'r crocbren.

James George Elliott

Cytunai pawb fod James George Elliott yn ddyn cwerylgar, cas, ond ni wyddai Violet Doreen Cryer pa mor gas y medrai fod cyn iddi hi a'i phriod, David, symud i fyw i'w gartref fel is-denantiaid.

Gŵr gweddw 77 oed a thenant tŷ cyngor oedd Elliott yn 1954. Trigai yn 27 Brynilltyd, Porth Tywyn, a chyn i'r Cryers symud i mewn roedd pâr ifanc arall newydd symud allan oherwydd cweryl rhyngddynt ac Elliott.

Cyn priodi, roedd Doreen wedi byw gyda'i rhieni yn 20 Teras Woodbrook yn y pentref. Gweithiai fel gwniadyddes yn siop teiliwr Harry Jones yn Llanelli. Brodor o Pontefract, Swydd Efrog, oedd ei gŵr a chyfarfu'r ddau tra oedd ef yn y Llu Awyr ym Mhen-bre. Priodwyd hwy yn Eglwys y Santes Fair, Porth Tywyn ar 4 Ionawr, 1952.

Teimlai'r Cryers fod tŷ rhieni Doreen yn rhy gyfyng i'r pedwar ohonynt a symudodd y ddau i 27 Brynilltyd ym mis Medi'r flwyddyn honno. Y rhent wythnosol am y tŷ oedd 15s, gydag Elliott yn talu 10s a'r pâr ifanc yn cyfrannu 5s. Roedd dwy ystafell wely ar y llawr uchaf gydag Elliott yn y cefn a'r Cryers yn y ffrynt. Byddai'r tri yn rhannu ystafelloedd y llawr isaf. Treuliai David Cryer lawer o amser oddi cartref am ei fod bellach yn yrrwr lorri.

Roedd natur gwerylgar Elliott yn amlwg i bawb a'i hadwaenai. Nid oedd wedi gweld ei fab ei hun ers blynyddoedd. Yn ôl gwraig hwnnw, sef merch-yng-nghyfraith Elliott, roedd ei gŵr wedi treulio blynyddoedd lawer yn y Llu Awyr, ac wedi'i leoli yn y Dwyrain Canol am gyfnod. Derbyniai'r rhieni dâl arbennig oherwydd bod eu mab yng Ngwasanaeth Ei Fawrhydi y Brenin. Ond daeth y trefniant i ben pan briododd. O'r herwydd, digiodd Elliott a rhybuddiodd ei fab i gadw draw o'r cartref o hynny allan.

Yn fuan iawn dechreuodd Elliott gweryla â'r Cryers. Byddai Doreen yn cwyno wrth ei ffrind gorau, Dorothy Williams, fod Elliott yn syllu arni am gyfnodau hir tra oedd ei gŵr i ffwrdd. Gwaethygodd pethau wedi i Doreen roi genedigaeth i ferch fach, Christine Louise, ac un noson, bygythiodd Elliott daflu'r fam a'r baban o'r tŷ. Ddydd Mercher, 17 Chwefror 1954, dywedodd Doreen wrth David i Elliott godi ei law fel petai am ymosod arni, ond trawodd hi ei law i lawr. Roedd y cymdogion yn ymwybodol o'r trafferthion hyn ac roedd un ohonynt, Nansi Masterman, wedi rhybuddio Elliott rhag gweiddi ar Doreen pan fyddai ei gŵr i ffwrdd.

Pan ddychwelodd David o'i waith nos Wener, 26 Chwefror, roedd y tŷ mewn tywyllwch a'r drysau ynghlo a meddyliodd fod ei wraig wedi galw i weld cymydog. Aeth yno a chael paned o de, ond doedd y cymydog ddim wedi gweld Doreen. Yna, galwodd yn nhŷ Dorothy Williams ond doedd honno na'i mam-gu, Dorothy Davies, ddim wedi'i gweld hi chwaith. Trwy gyd-ddigwyddiad, roedd Mrs Davies yn gyfnither i John a Phoebe Harries, Llangynin, a lofruddiwyd gan Ronnie Harries. Yn wir, roedd Dorothy Williams wedi galw i weld Doreen y prynhawn hwnnw ond heb gael ateb.

Benthyciodd David Cryer lamp ac aeth yn ôl i'r tŷ. Wrth gerdded o'r cefn tua'r ffrynt, clywodd sŵn baban yn griddfan. Goleuodd y lamp drwy ffenest y gegin a gwelodd ei wraig yn gorwedd ar lawr. Galwyd ar gymydog, George Masterman, a ffoniodd hwnnw'r heddlu. Llwyddodd y Prif Arolygydd Raymond Bayliss, y Ditectif Ringyll Douglas Davies a'r Cwnstabl Elwyn Davies i wthio'u ffordd i'r tŷ. Gorweddai Doreen yn farw gelain ger y lle tân, y baban wrth ei hymyl a'r pram wedi'i ddymchwel.

Yn ôl y meddyg, Dr William David Williams, roedd Doreen wedi marw ers oriau. Roedd anafiadau difrifol ar ei hwyneb a rhwygiadau i'r ymennydd yn sgil malu cefn y benglog. Roedd y baban wedi dioddef mân anafiadau ac aethpwyd â hi i Ysbyty Cyffredinol Llanelli. Wedi'r archwiliad *post mortem* daeth y patholegydd, Dr C.R.E. Freezer, i'r casgliad y byddai Doreen wedi marw ar unwaith yn dilyn ymosodiad o'r fath.

Yn y tŷ cafwyd bod olion traed gwaedlyd yn arwain o'r gegin i bob ystafell ar y llawr isaf ac i fyny'r grisiau i ystafell wely Elliott. Yno canfuwyd pâr o sliperi gwaedlyd, ac yn y gegin, mewn bocs cardbord, roedd bwyell ag olion gwaed arni.

Roedd hi'n amlwg i'r llofrudd ymosod ar Doreen, a'i tharo â'r fwyell nes ei lladd. Yna, o sylweddoli'r hyn a wnaethai, cerddodd drwy'r tŷ ac i fyny i'w ystafell wely ei hun. Yno gadawodd ei sliperi cyn mynd allan. Roedd cymydog wedi'i weld yn gadael y tŷ tua 1.50 a gwelwyd ef wedyn mewn arhosfan bws yn y pentref. Roedd wedi siarad ag un fenyw yn y fan honno.

Yna gwelwyd ef gan ddyn tân ar un o injans trên y rheilffordd, Kenneth Howard Thomas, yn pwyso ar ffens y lein rhwng Porth Tywyn a'r Pwll ac yn edrych i gyfeiriad y môr. Roedd yn 'syllu fel petai'n syllu ar ddim', meddai, a synhwyrodd fod rhywbeth yn rhyfedd ynglŷn â'i ymddygiad. Drannoeth daethpwyd o hyd i'w gorff ar drac y rheilffordd gydag anafiadau difrifol i'w ben.

Roedd Hubert George Townsend, fforman ar y rheilffordd yn Neyland, yn nai i Elliott a bu'r ddau yn llythyru â'i gilydd yn rheolaidd. Ddydd Sadwrn, 27 Chwefror, trannoeth i'r llofruddiaeth, derbyniodd nodyn oddi wrth ei ewythr:

Dear George,
You had better come up at once to see to things, as I shall be
dead or under lock and key by the time you get this.
Uncle George.

Cynhaliwyd angladd Doreen Cryer ddydd Mawrth, 2 Mawrth, yn Eglwys y Santes Fair, lle priodwyd hi a David ddwy flynedd yn gynt. Er bod trwch o eira ar lawr daeth dros gant o alarwyr ynghyd wrth i'r hers ac wyth car yrru tua'r eglwys. Bu'r achlysur yn ormod i David Cryer. Syrthiodd i'r llawr yn ddiymadferth a chariwyd ef i'r festri gan yr arch-gludwyr. Y dydd Iau canlynol daeth Christine Louise allan o'r ysbyty i ofal ei thad-cu a'i mam-gu, Mr a Mrs William Phipps, yn 20 Teras Woodbrook.

Yn Neuadd y Dref Llanelli ddydd Iau, 1 Ebrill, cynhaliwyd dau gwest. Bu tystiolaeth swyddog Man y Drosedd, y Ditectif Ringyll Fred Jones, yn allweddol. Dedfryd y rheithgor oedd i Violet Doreen Cryer gael ei llofruddio ac i'r llofruddiaeth gael ei chyflawni gan James George Elliott. Bu anghydweld ynglŷn â marwolaeth Elliott ei hun. Mynnai'r pen-rheithiwr ei fod yn gwybod yn iawn yr hyn oedd yn ei wneud wrth gymryd ei fywyd ei hun. Anghytunai rhai o'r rheithwyr, ond yn y diwedd cytunwyd iddo gyflawni hunanladdiad tra oedd cydbwysedd ei feddwl wedi'i aflonyddu.

Evan Haydn Evans

Trigai Mrs Rachel Allen, gwraig weddw 76 oed, ar ei phen ei hun yn Hillside Crescent, Wattstown, Y Rhondda. Treuliai ei dyddiau yn byw bywyd meudwyaidd, a'r unig ddodrefn yn ei chartref oedd bwrdd, dwy gadair a 'man oedd wedi'i addasu'n wely'. Ond nid oedd Mrs Allen yn hollol ddigwmni – roedd ganddi saith o gathod.

Treuliodd y wraig nos Sadwrn, 11 Hydref 1947, yn cymdeithasu yn y *Butchers Arms* lai na thri chan llath o'i chartref. Gadawodd am adref yn fuan wedi deg o'r gloch, ond tua 11.20 y noson honno bu bron i gymdoges, Mrs Gertrude Morris, faglu drosti pan ganfu ei chorff y tu allan i'w chartref. Galwodd Mrs Morris ar ei brawd-yng-nghyfraith, Thomas Joseph Rowlands, ac yn ei dro galwodd hwnnw'r heddlu. Yn fuan wedyn cyrhaeddodd y Cwnstabl Stephen Henton, plismon lleol.

Roedd gan Mrs Allen anafiadau difrifol i'w phen a llifai'r gwaed ohonynt nes bod pyllau o gwmpas ei chorff. Gafaelai un o'i dwylo'n dynn yn allwedd y drws ffrynt ac wrth ei hochr canfuwyd bocs o snisin, neu *snuff*. Ar ddrws y ffrynt gwelwyd ôl llaw mewn gwaed.

O ystyried tlodi'r wraig, ni feddyliwyd am eiliad mai lladrad oedd y rheswm am yr ymosodiad. Yn wir, pan archwiliwyd y tŷ, doedd yno fawr ddim bwyd ac eithrio un dorth o fara ac ychydig o de a siwgr. Roedd siop groser y drws nesaf a thybiwyd y gallai Mrs Allen fod wedi amharu ar yr ymosodwr wrth iddo geisio torri i mewn iddi. Ond dangosodd archwiliad *post mortem* i'r wraig gael ei threisio a bu'n rhaid gwrthod y ddamcaniaeth honno.

Galwyd am gymorth Scotland Yard, a daeth yr Uwcharolygydd John Capstick a'r Ditectif Ringyll Stoneman o Lundain i gymryd gofal o'r achos ddydd Sul, 12 Hydref. Flynyddoedd wedyn, wrth gofnodi hanes ei yrfa, gallai Capstick ddweud bod ganddo atgofion melys o'r môr o ganu hyfryd a ddeuai o'r capeli wrth iddo gael ei yrru drwy Gwm Rhondda i Wattstown.

Gan nad oedd neb amlwg i'w ddrwgdybio, gofynnodd Capstick i Stephen Henton – cwnstabl mwyaf profiadol yr ardal – awgrymu ambell enw. Er ei fod yn gyndyn i wneud hynny, enwodd y plismon nifer o ddynion a allai fod yn gyfrifol. Wrth iddo gyflwyno'r rhestr i Capstick, dywedodd: 'Gobeithio y caf faddeuant Duw os ydw i'n anghywir'. Ateb Capstick oedd: 'Paid â gofidio, fe gei di fy maddeuant i'.

Ymhlith yr enwau ar restr Henton roedd Evan Haydn Evans, glöwr 21 oed oedd yn yrrwr twrbein. Roedd wedi bod yng nghwmni Rachel Allen yn ystafell fiwsig y *Butchers Arms* y noson cynt. Gwisgai siwt frown yn y dafarn ac fe'i gwelwyd yn cweryla â Mrs Allen. Ni wyddai neb achos y cweryl, ond gwelwyd Rachel yn ei ddilyn o gwmpas y dafarn yn chwifio rhywbeth yn fygythiol yn ei llaw. Ac fe'i clywyd hi'n ei fygwth fel hyn: 'Cer o 'ma. Os na wnei di, mi alwa i'r polîs'.

Trigai Evans gyda'i rieni yn Heol Llechau. Dyn byr, eiddil yr olwg ydoedd gyda gwallt cyrliog tywyll. Ni fu Capstick yn hir cyn ei holi. Yn ystod y cyfweliad taerodd na wyddai ddim am y llofruddiaeth. Dywedodd iddo fynd yn syth adre o'r dafarn a gwadodd ei fod yn berchen ar siwt frown. Un las a wisgai dros y penwythnos, meddai. Ond cofiai sawl tyst iddo wisgo siwt frown, a honno'n un newydd. Yn wir, cofient iddynt dynnu ei goes oherwydd ei newydd-deb. Yna daethpwyd o hyd i'r teiliwr a'i gwerthodd iddo.

Aethpwyd ag Evans i orsaf yr heddlu ond glynodd wrth ei stori. Ond o'i holi ymhellach, cyfaddefodd iddo lofruddio Mrs Allen. Dywedodd iddo gweryla â hi yn y dafarn a'r tu allan iddi wedi amser cau. Wrth fynd heibio i'w chartref yn ddiweddarach fe'i gwelodd ar y trothwy yn galw ar ei chathod. Dywedodd Evans iddi ei alw'n 'fochyn brwnt'. Gwylltiodd yntau ac ymosod arni'n gïaidd. Am ryw reswm, fodd bynnag, er iddo syrthio ar ei fai, daliai i wadu fod ganddo siwt frown.

Aeth Capstick i gartref Evans i siarad â'i fam. Mynnai hithau nad oedd gan ei mab siwt frown, ond ar gais Capstick aeth i'w ystafell wely i chwilio beth bynnag. Yn ei habsenoldeb edrychodd Capstick o gwmpas yr ystafell. Dan orchudd y soffa lle buasai'r fam yn eistedd daeth o hyd i siwt frown oedd yn stiff gan waed wedi ceulo. Darganfuwyd gwaed hefyd ar sgidiau a sanau Evans – y rhai a wisgai ar noson y llofruddiaeth. Roedd yr olion yn perthyn i'r un grŵp gwaed â Rachel Allen. Canfuwyd darnau bach o asgwrn ar y sgidiau a ffibrau o siôl las y wraig ar ddillad Evans.

Fe'i cyhuddwyd o lofruddiaeth ac ymddangosodd gerbron yr Ynad Cyflogedig, Mr Stanley Evans, yn Llys Ynadon y Porth. J.F. Claxton oedd yn erlyn ac Emrys Simons yn amddiffyn. Ar 5 Tachwedd traddodwyd Evans i sefyll ei brawf ym Mrawdlys Morgannwg yng Nghaerdydd.

Yn ystod yr achos arweiniwyd ar ran y Goron gan Arthian Davies C.F. Disgrifiodd yr anafiadau a gafwyd ar gorff Mrs Allen a'r modd yr oedd Evans wedi ymosod arni. Roedd wedi ei tharo â'i ddyrnau yn ei hwyneb ac wedi cicio'i phen nes iddo'i falu. Tynnodd rai o'r lluniau mwyaf erchyll allan o'r albwm tystiolaeth er mwyn arbed y rheithgor rhag y sioc o'u gweld.

Ceisiodd yr Amddiffyniad leihau'r cyhuddiad i un o ddynladdiad gan ddadlau i Mrs Allen farw o'r ergyd gyntaf o ddwrn Evans a'i bod hi eisoes yn farw pan giciodd hi a phan dreisiodd hi. Ond pledio'n euog i lofruddiaeth wnaeth Evans yn y pen draw.

Cyhoeddodd y Barnwr, Mr Ustus Byrne, mai cosb y llys fyddai dedfryd o ddienyddiad. Ni wnaeth y Barnwr unrhyw sylw pellach ar wahân i yngan y geiriau arferol: 'Boed i Dduw drugarhau wrth eich enaid'.

Apeliodd Evans yn erbyn y ddedfryd, ac ar 19 Ionawr 1948, safodd gerbron yr Arglwydd Goddard, Arglwydd Brif Ustus y Llys Apêl. Yn rhyfedd iawn, dywedodd Mr Morgan Owen, ar ran Evans, na allai feddwl am un ddadl i gefnogi ei apêl a chymeradwyodd Goddard ei agwedd.

Crogwyd Evans yng Ngharchar Caerdydd ddydd Mawrth, 3 Chwefror 1948, y cyntaf i'w grogi yno er 5 Medi 1945, pan grogwyd milwr o Ganada, Howard Joseph Grossley, am lofruddio Lily Griffiths ym Mhorthcawl.

William Joseph Foy

Llofruddiwyd Mary Ann Rees drwy ei thaflu ddeugain troedfedd i lawr hen ffwrnais. Dim ond ychydig dros chwe throedfedd fu cwymp ei llofrudd, ond bu'n ddigon i'w ladd gan fod rhaff am ei wddf ar y pryd.

Roedd William Joseph Foy, 25 oed, a Mary Ann Rees, 23 oed, yn gariadon. Er eu bod o gefndir parchus fe aeth y ddau ar gyfeiliorn ac erbyn 1908 nid oedd ganddynt gartrefi sefydlog. Cysgent yn aml mewn adeilad diwydiannol gwag ger ffwrneisi golosg hen waith brics Ynysfach, Merthyr Tudful.

Erbyn hyn, putain oedd Mary Ann, neu 'Sloppy' fel y'i gelwid ar y strydoedd. Er bod Foy yn greulon a bwystfilaidd tuag ati, nid oedd amheuaeth ei bod hi'n ei garu. Ond roedd gan Foy gariad arall hefyd, cymeriad yr un mor amheus ag ef o'r enw Polly Gough.

Un o ffrindiau Mary Ann oedd putain arall, Mary Greany. Roedd honno'n briod ond wedi gwahanu oddi wrth ei gŵr a gwelid y ddwy yn aml yn cysgu allan – Mary Ann gyda Foy a Greany gyda dyn o'r enw John Edward Bassett.

Fis Tachwedd 1908 carcharwyd Greany am fis am droseddau'n ymwneud â phuteindra. Rhyddhawyd hi fore Mercher, 23 Rhagfyr, o Garchar Abertawe ac aeth Mary Ann i gyfarfod â hi yng Ngorsaf Reilffordd Merthyr. Aeth y ddwy ar eu hunion i dafarn y *Wheatsheaf* gan yfed gwerth dwy geiniog o rŷm. Aethant ymlaen i'r *Rainbow* i yfed mwy, ac ar ôl cael rhywbeth i'w fwyta aethant i chwilio am eu cariadon. Daethant o hyd i Joe Foy a Jac Bassett yn yr hen waith yn Ynysfach.

Yn y prynhawn aeth y pedwar i Ferthyr. Ar ôl bwyta, aeth Mary Ann i ffwrdd gydag un o'i chwsmeriaid a chafodd swllt am ei gwasanaeth. Ailgyfarfu'r pedwar yn nhafarn y *Llew Coch* cyn i Greany adael gyda chwsmer arall. Dychwelodd hithau swllt yn gyfoethocach. Aeth y pedwar yn ôl i'r *Rainbow* gan adael am eu lle cysgu yn yr hen waith brics tua 10.30.

Tua 2.00 y bore wedyn roedd y Rhingyll Charles Hunter a'r Cwnstabl Richard Henry Lewis ar ddyletswydd yn y Stryd Fawr, Merthyr Tudful pan ddaeth dyn atynt a dweud iddo lofruddio menyw. Rhoddodd ei enw fel William Joseph Foy a dywedodd iddo daflu 'Sloppy' i dwll yn hen waith Ynysfach. Galwyd ar swyddog arall, y Ditectif Edward Jones, ac aeth y tri i waith Ynysfach yng nghwmni Foy. Arweiniodd hwnnw'r plismyn at y ffwrnais y taflodd Mary Ann iddi ond methwyd â gweld dim byd yn y tywyllwch er gwaethaf y lampau oedd ganddynt. Roedd Foy yn bendant mai yno y'i taflodd ac iddo luchio siôl waedlyd ar ei hôl.

Daethant ar draws Jac Bassett a Mary Greany. Roedd Foy eisoes wedi dweud wrthynt iddo lofruddio Mary Ann, ond troi clust fyddar a wnaethant am nad oeddynt yn ei gredu. Dywedodd Bassett y dylai 'swingio' pe bai'r hyn a ddywedai'n wir. Cythruddwyd Foy gan y sylw ac ymosododd ar Bassett. Oni bai am bresenoldeb y plismyn byddai'n sicr wedi mynd yn sgarmes.

Aethpwyd â Foy yn ôl i Ferthyr a'i gloi mewn cell. Aeth rhagor o swyddogion i'r hen waith, a'r tro hwn llwyddwyd i weld corff menyw yn gorwedd ar lawr ffwrnais ddeugain troedfedd o ddyfnder.

Wrth archwilio corff Mary Ann gwelodd y Dr Ward fod yr holl anafiadau ar ochr dde'r corff, a bod hynny'n gyson â syrthio ar ei hochr ar y llawr haearn. Yn y cwest a gynhaliwyd yn y *Dynevor Arms* dywedodd ei thad, Lewis Rees, wrth roi tystiolaeth adnabod, nad oedd ei ferch wedi byw gartref ers pymtheng mlynedd. Roedd wedi ei gweld am y tro olaf y dydd Llun blaenorol ym Merthyr. Yn y cwest llawn, ddydd Llun, 28 Rhagfyr, gerbron Mr F.H. Glynn Price, y ddedfryd oedd i Mary Ann Rees gael ei llofruddio gan William Joseph Foy.

Cyhuddwyd Foy o'r llofruddiaeth a thrannoeth, yn Llys Heddlu Merthyr, traddodwyd ef i sefyll ei brawf ym Mrawdlys Morgannwg. Agorodd yr achos yng Nghaerdydd ar ddiwrnod olaf Mawrth 1909 gerbron yr Ustus Bray. W. Llewellyn Williams A.S. ac Elidir B. Herbert oedd yn erlyn ac Ivor Bowen oedd yn cynrychioli Foy.

Ar wahân i'r heddlu, y prif dystion oedd Jac Bassett a Mary Greany. Honnodd y ddau iddynt glywed Foy a Mary Ann yn cweryla tua hanner nos ar y noson dan sylw. Clywsant Mary Ann yn edliw i Foy mai Polly Gough oedd ei wir gariad. Gwisgodd ei hesgidiau a cherdded allan gyda Foy yn dynn wrth ei sodlau.

Yn ddiweddarach, roedd Foy wedi cyfaddef wrth Bassett iddo daflu Mary Ann i'r ffwrnais gan fynd ag ef yno i brofi hynny. Ond ni fedrai Bassett weld dim amheus, a chan fod Foy yn chwerthin drwy'r amser, credai ei fod yn cellwair. Honnwyd hefyd i Mary Ann fygwth dweud wrth yr awdurdodau bod Foy yn byw ar ei henillion fel putain.

Erbyn i Foy fynd i'r bocs roedd wedi newid ei stori'n llwyr. Teimlai'n ddryslyd, meddai, pan gyfaddefodd wrth yr heddlu iddo daflu Mary Ann i'r twll. Damwain oedd y cyfan – roedd hi wedi llithro wrth gerdded ar hyd ystyllen a osodwyd dros y ffwrnais. Ymgais oedd ei gyfaddefiad, meddai, i gyfleu i'r heddlu ei fod yn teimlo'n gyfrifol am ei marwolaeth.

Wrth grynhoi'r dystiolaeth, tynnodd y Barnwr sylw'r rheithgor at y ffaith nad oedd Foy wedi galw am help pan syrthiodd y ferch i'r ffwrnais. At hynny, roedd wedi cyfaddef wrth Jac Bassett yn ogystal â'r heddlu.

Cyn pen dim dychwelodd y rheithgor ddedfryd o lofruddiaeth. Aeth Foy rhagddo i apelio. Serch hynny, penderfynodd Darling, Bray a Lawrence, Ustusiaid y Llys Apêl, nad oedd rheswm digonol dros newid y ddedfryd.

Cyn diwrnod y dienyddio, sef dydd Sadwrn, 8 Mai 1909, bedyddiwyd Foy gan Gaplan y Carchar, y Parchedig Watkin-Jones. Roedd stwmpyn sigarét yng ngheg Foy wrth i'r crogwr, Henry Pierrepoint a'i gynorthwywr, John Ellis osod y cwcwll gwyn am ei ben a'r rhaff am ei wddf. Rhoddwyd cwymp o ychydig dros chwe throedfedd iddo, gryn dipyn yn llai na'r cwymp a ddioddefodd Mary Ann.

Roedd y cyfan drosodd mewn eiliadau, ac ymhen yr awr oedd yn ofynnol, tynnwyd y corff i fyny o'r pydew. Pan dynnwyd y cwcwll oddi ar ei ben, roedd y stwmpyn sigarét yn dal rhwng ei wefusau.

Richard Anthony Gambrell

Hen lanc 61 oed oedd John Williams yn byw ar ei ben ei hun ym Mrynambor, fferm ddefaid 300 erw ar ucheldir Llanddewibrefi ger Tregaron. Roedd John yn ddyn poblogaidd a pherchid ef gan bawb yn y cylch. Ac yntau'n aelod selog yng nghapel Soar y Mynydd, gwyddai cystal â neb am hanes y fro. Er ei fod yn gawr o ran corffolaeth, yn chwe throedfedd o daldra ac yn pwyso cymaint â deunaw stôn, roedd yn ddyn o natur ffeind iawn a gâi ei adnabod gan bawb fel 'John Brynambor'.

Ddydd Sadwrn, 22 Ionawr 1983, bu John mewn dau angladd a chyda'r nos aeth i dafarn y *Foelallt* yn Llanddewibrefi. Gadawodd tua 11.30 gan yrru adref yn ei fan Morris 1000. Sylwodd ei gymydog, David Islwyn Roberts, ar oleuadau modur yn mynd tua Brynambor ychydig wedi canol nos. Cofiodd hefyd iddo glywed ei gŵn yn cyfarth yn ddi-baid yn gynharach y noson honno, tua saith o'r gloch.

Roedd yna ddyn arall hefyd yn adnabyddus yn ardaloedd Llanddewibrefi, Tregaron, Rhandir-mwyn a Chynghordy, ond nid dyn lleol mohono. Ganwyd Richard Anthony Gambrell yn Lloegr, ond treuliai ei amser yn crwydro ardaloedd gwledig ar ei ben ei hun, yn arbennig y fro fynyddig rhwng Rhandir-mwyn a Thregaron. Syrthiodd mewn cariad â chefn gwlad Cymru a'i mynyddoedd yn dilyn gwyliau a dreuliodd yn fachgen yng ngorllewin y wlad.

Ganwyd Gambrell yn 1949, ond pan oedd yn dair oed fe'i mabwysiadwyd gan bâr cyfoethog. Derbyniodd yr addysg orau, ond gwelwyd yn gynnar na allai gymysgu â phlant eraill. Roedd yn fachgen unig, swil a di-ddweud. Anfonwyd ef i ysgol fonedd a derbyniodd hefyd addysg breifat yn ei gartref. Serch hynny, ni fedrai ymdopi ag unrhyw fath o addysg.

Erbyn iddo gyrraedd ei ddeunaw oed daeth i sylw'r heddlu wedi iddo ennill arian drwy dwyll. Ceisiwyd ei helpu drwy ddod o hyd i waith iddo ar fferm ac mewn sw, a hynny oherwydd ei gariad at natur. Ond nid arhosai'n hir mewn un man.

Yn dilyn cyhuddiad o ddwyn yn ei erbyn yn 1970 aeth adref at ei rieni mabwysiol. Yno, dechreuodd ddangos ei atgasedd tuag at ei fam. Ymosododd arni a'i tharo â phren bara. Bu'n rhaid iddi gael tua 200 o bwythau mewn anafiadau i'w hwyneb. Yn dilyn achos llys cafodd ei anfon i garchar am dair blynedd.

Erbyn canol y saith degau treuliai Gambrell y rhan fwyaf o'i amser ar fynydd Tregaron. Drwgdybid ef o dorri i mewn i nifer o dai haf a dwyn eiddo'u perchenogion. Yng ngwanwyn 1977 torrwyd i mewn i bum bwthyn, ac ym mis Mai y flwyddyn honno fe'i gwelwyd gan blismon ger Rhandir-mwyn a cheisiwyd ei arestio. Ond tynnodd Gambrell ddryll o'i got a bygwth y cwnstabl cyn dianc.

Daeth sgwad o blismyn a ditectifs ynghyd, dan arweiniad yr awdur, i gribo'r mynydd. Cornelwyd Gambrell maes o law, ond dihangodd i dŷ o'r enw Rhyd-y-groes yn Rhandir-mwyn. Ceisiwyd, yn ofer, ei ddarbwyllo i ddod allan. Ar ôl rhai oriau danfonwyd dau o gŵn yr heddlu yng ngofal y Cwnstabliaid Dai Rees a Gwyndaf

Jones o Lanelli i mewn a llwyddwyd i'w drechu. Canfuwyd fod y gwn wedi'i ddwyn o Frynambor. Yn ddiweddarach, derbyniodd y ddau heddwas gymeradwyaeth y Frenhines am eu dewrder.

Plediodd Gambrell yn euog i'r cyhuddiadau yn ei erbyn ac fe'i carcharwyd. Ond wedi iddo gael ei ryddhau dychwelodd i orllewin Cymru lle cafodd ei garcharu eto. Rhyddhawyd ef ar 20 Medi 1982, ond ar 8 Hydref fe'i harestiwyd eto am dorri i mewn i dŷ yng Nghynghordy, ochr draw'r mynydd i Frynambor. Cafodd ddau fis o garchar a rhyddhawyd ef ar 19 Tachwedd. Aeth i fyw mewn tŷ lojin yn Aberystwyth, ond o fewn ychydig fisoedd roedd wedi dychwelyd i'r mynydd ac yn byw mewn hen hostel wag.

Ar ôl i John Williams adael y *Foelallt* nos Sadwrn, 22 Ionawr, ni welwyd ef yn fyw byth wedyn. Canfuwyd ef drannoeth wedi'i saethu'n farw mewn ystafell wely yn ei gartref. Bron ar unwaith, enw Gambrell oedd ar wefusau pawb. Cafwyd iddo dreulio'r ddwy noson wedi'r llofruddiaeth yng Ngwesty'r *Neuadd Arms* yn Llanwrtyd, rhyw bymtheg milltir o Frynambor. Defnyddiodd yr enw 'Mark Roberts' a'r cyfeiriad 'Gaer-wen, Trewyddel'. Ond profwyd mai Gambrell fu yno, diolch i ôl bys ar fwrdd pen y gwely. Daethpwyd o hyd i lyfr siec a ddygwyd o'i lojins yn Aberystwyth wedi'i dorri'n ddarnau mewn toiledau cyhoeddus y tu allan i'r gwesty. Fore Mawrth, ychydig cyn canol dydd, gadawodd ar y trên am Amwythig a diflannodd yn llwyr am bythefnos.

Ddechrau mis Chwefror, torrwyd i mewn i nifer o fythynnod yn ardal Lymington yn Hampshire. Yn agos iawn i un fferm y torrwyd i mewn iddi roedd ysgol lle bu Gambrell yn ddisgybl. Cysylltwyd y troseddau â Gambrell a gwnaed apêl gan brifathro'r ysgol iddo ildio'i hun i'r heddlu. Ychydig oriau'n ddiweddarach derbyniodd y prifathro alwad ffôn oddi wrth ei gyn-ddisgybl, ac fe'i harestiwyd yn fuan wedyn.

Holwyd ef gan Pat Molloy, Pennaeth CID Heddlu Dyfed-Powys. Cyfaddefodd iddo saethu John Brynambor. Disgrifiodd yn fanwl ei symudiadau ar y noson dyngedfennol honno. Pan gyrhaeddodd Frynambor, meddai, roedd wedi tybio bod y tŷ yn wag ac aeth i mewn drwy ffenest ac eistedd ar wely. Ymhen tua theirawr, fodd bynnag, clywodd rywun yn dod i'r tŷ. Cyn y medrai ei heglu hi, rhuthrodd dyn i'r ystafell yn cario lamp ac yn gweiddi nerth ei ben. Yn llewyrch y lamp sylwodd Gambrell ar wn yn pwyso yn erbyn y wal a chetris ar y silff ben tân. Wrth iddo wylio'r cawr yn camu i gyfeiriad y gwn aeth golau'r lamp allan. Clywodd ergyd yn y tywyllwch a theimlodd yr ergydion yn mynd heibio i'w ben. Yna, er na wyddai sut, gafaelodd yn y gwn a saethu'r dyn. Suddodd hwnnw i'r llawr, ail-lwythodd Gambrell y gwn a'i saethu eto droeon, er na allai gofio llwytho'r arf fwy nag unwaith. Dihangodd a thaflodd y gwn mewn fforest ar y mynydd. Er mawr chwilio, ni lwyddwyd i ddod o hyd i'r gwn.

Safodd Gambrell ei brawf yn Llys y Goron. Plediodd yn ddieuog, ond profwyd yr achos yn ei erbyn ac fe'i carcharwyd am oes.

Howard Joseph Grossley

Enciliwr o Fyddin Canada oedd Howard Joseph Grossley a ddaeth i Gymru yn ystod yr Ail Ryfel Byd. Er bod ganddo wraig yng Nghanada bu'n byw gyda merch o'r enw Lily Griffiths yn Aberdâr ac wedyn ym Mhorthcawl. Ganwyd iddynt fab yn 1943.

Nos Fawrth, 12 Mawrth 1945, tra oedd y pâr yn lletya mewn tŷ yn Heol Newydd, Porthcawl, clywodd Grossley dros y radio fod carcharorion rhyfel Almaenig wedi dianc o'u gwersyll carchar yn *Island Farm* ger Pen-y-bont ar Ogwr. Danfonodd fachgen 16 oed i ymofyn ei bistol rhag ofn y deuai wyneb yn wyneb â'r carcharorion. Yna fe aeth allan ar ei ben ei hun gyda'i bistol yn ei boced. Dychwelodd i'r tŷ tua 10.30 y noson honno wedi meddwi'n chwil. Yna, aeth allan eto gyda Lily'n gwmni iddo'r tro hwn.

Tua phum munud cyn hanner nos clywyd ergyd dryll a sgrechfeydd yn dod o gyfeiriad llwybr y tu ôl i'r tai yn Heol Newydd. Rhuthrodd rhai o'r trigolion yno a gwelsant Grossley a ofynnodd iddynt alw'r meddyg gan iddo saethu 'ei annwyl wraig'. Canfuwyd yn ddiweddarach bod y fwled wedi mynd drwy ffenest tŷ cyfagos ac wedi disgyn ar soffa.

Yn ôl un tyst, gŵr o'r enw Mr Speck, gorweddai Lily Griffiths ar y llawr. Siaradodd â hi a llwyddodd hithau i gyfleu bod Almaenwr wedi ymosod arni wedi iddo ef a'i gymdeithion ofyn am ddillad ac arian. Fe'i trawyd ganddynt, meddai, cyn iddynt droi ar ei gŵr. Dychwelodd Grossley a phenlinio wrth ei hymyl. 'Fy nghariad,' gofynnodd, 'beth ydw i wedi'i wneud?' Atebodd hithau: 'Paid â becso, cariad, allet ti byth â help'. Gofynnodd Speck iddi am ddisgrifiad o'r dihiryn ond ni allai gofio. Pwyntiodd Grossley at erddi gerllaw gan ddweud: 'Fe aeth e lawr y ffordd yna'.

Bu farw Lily ddydd Gwener, 16 Mawrth. Gwnaeth Grossley ddatganiad yn dweud bod dau ddyn, na siaradent ond ychydig Saesneg, wedi'u cyfarch ar y llwybr ac wedi mynnu arian a dillad. Estynnodd Grossley am ei ddryll awtomatig, ac yn ei eiriau ef, '*I let them have it*'. Ond wrth iddo saethu, fe neidiodd Lily o'i flaen i'w rwystro.

Erbyn trannoeth, fodd bynnag, roedd stori Grossley wedi newid. Dywedodd ei fod bellach am ddweud y gwir. Roedd wedi cael hen ddigon ar fyw, meddai, ac os âi yn ôl i'w bencadlys fe'i danfonid ymhell oddi wrth Lily a'r mab bychan. Dywedodd wrthi ei fod am ladd ei hun fel y medrai hi ganfod hapusrwydd gyda rhywun arall. Ond wrth iddo anelu'r pistol ceisiodd Lily ei atal. Yn y dryswch a ddilynodd, saethwyd Lily'n ddamweiniol. Arestiwyd Grossley a'i gyhuddo o lofruddiaeth.

Ddydd Mercher, 11 Gorffennaf, ymddangosodd gerbron yr Ustus Singleton ym Mrawdlys Abertawe. Ralph Sutton, C.B., oedd yn erlyn a Glynne Jones, C.B., yn amddiffyn. Gofynnodd yntau i'r llys a ellid cael yn euog o lofruddiaeth rywun a oedd, wrth geisio'i ladd ei hun, yn lladd rhywun arall yn ddamweiniol wrth i hwnnw neu honno geisio'i atal? Dywedodd nad oedd tystiolaeth i'w gosod gerbron y rheithgor. Pwysleisiodd fod tebygrwydd rhwng yr hyn a ddywedodd Lily Griffiths a Grossley am y digwyddiad, a hynny'n union wedi'r saethu heb i'r naill gael cyfle i gyfathrebu â'r llall.

Ond tystiolaeth arbenigwr mewn arfau a bennodd dynged Grossley. Profodd hwnnw i'r llys na fedrai'r pistol danio heb bwysau ar y glicied wedi i'r bonddryll, neu'r *breech*, gael ei dynnu'n ôl. Tystiodd hefyd, wedi archwilio'r twll bwled yng nghorff Lily, fod y pistol wedi'i anelu'n wastad fel petai wedi'i anelu'n fwriadol at y ferch. At hynny, dywedodd y byddai olion powdwr ar ddillad Lily petai'r pistol wedi'i danio o fewn 16 modfedd i'r corff. Nid oedd unrhyw olion tebyg ar y dillad.

Cafwyd Grossley yn euog o lofruddiaeth a dedfrydwyd ef i'w grogi. Collodd ei apêl yn y Llys Apêl. Am naw o'r gloch fore Mercher, 5 Medi 1945, fe'i crogwyd yng Ngharchar Caerdydd. Arwyddwyd yr hysbysiad ar fwrdd y tu allan i'r carchar gan Feddyg y Carchar, Dr Tom Wallace; Cyrnol E.E. Green, yr Is-Siryf; yr Uwchgapten W. Brown, y Rheolwr a hefyd Gaplan y carchar.

Cynhaliwyd y cwest ar Grossley am un ar ddeg y bore gan y Dirprwy Grwner, Mr Bevan Thomas, a thyngodd aelodau'r rheithgor lw uwchben y corff a orweddai yn y marwdy. Roedd Grossley yn dal yn ei ffurfwisg filwrol. Yr unig rai a gynigiodd dystiolaeth oedd Dr Tom Wallace a'r Uwchgapten Brown.

Dywedwyd i'r dienyddiad gael ei weinyddu'n gyflym ac yn effeithlon.

Thomas Ronald Lewis Harries

Cred pobl ofergoelus fod yna anlwc yn perthyn i'r rhif 13. Ond roedd gan Thomas Ronald Lewis Harries fwy o achos i felltithio'r rhif 16. Diflannodd ei ewythr a'i fodryb ar 16 Hydref, canfuwyd eu cyrff ar 16 Tachwedd, ac fe'i dedfrydwyd ef ei hun i'w grogi am eu llofruddio ar 16 Mawrth.

Roedd John Harries, 63 oed, a'i wraig Phoebe Mary, 54 oed, yn ffermio tyddyn un erw ar ddeg y Derlwyn, Llangynin, tua 12 milltir o Gaerfyrddin. Roedd y ddau fwy neu lai yn uniaith Gymraeg ac wedi byw yn eu milltir sgwâr gydol eu hoes heb erioed fod i ffwrdd ar wyliau. Yn anaml iawn yr âi'r ddau o'r pentref. Teimlent yn ddigon hapus yn eu cynefin lle gwyddai pawb fusnes ei gilydd.

Nos Wener, 16 Hydref 1953, aeth y ddau i gwrdd diolchgarwch yng Nghapel y Bryn yn agos i'w cartref. Cerddodd y ddau adref wedi'r oedfa ac yn fuan wedyn fe alwodd ymwelydd. Roedd hwnnw hefyd wedi bod yn yr oedfa ac wedi gadael ei gerbyd ar glos y Derlwyn. Cyn gyrru adref fe alwodd yn y tŷ a gweld John a Phoebe wedi diosg eu cotiau a'u hetiau ac yn eistedd wrth y tân.

Pan oedd y tri yn sgwrsio, galwodd ymwelydd arall. Nai i John a Phoebe oedd hwn, Thomas Ronald Lewis Harries, gŵr ifanc 26 oed, yn briod gyda phlentyn tri mis oed, ac yn byw gyda'i dad a'i fam-yng-nghyfraith ar Fferm Ashwell,

Pentywyn. Gweithiai gyda'i dad fel ffermwr a bwtsiwr ar Fferm Cadno. Ac fel 'Ronnie Cadno' y câi ei adnabod yn yr ardal.

Pan alwodd cymdogion yn y Derlwyn fore trannoeth, syndod iddynt oedd gweld Ronnie yno yn hytrach na'i ewythr a'i fodryb. Esboniodd Ronnie fod John a Phoebe wedi mynd ar wyliau. Yn wir, roedd ef wedi'u cludo i Gaerfyrddin y bore hwnnw i ddal y trên i Lundain. Eu bwriad, meddai, oedd treulio pythefnos mewn gwesty yn Stockwell.

Ond roedd popeth ynglŷn ag ymddygiad y nai yn codi amheuon. Gyrrai gar John a Phoebe fel pe bai'n eiddo iddo ef ei hun, gwisgai rai o ddillad ei ewythr ac aeth â'r gwartheg i gyd i Fferm Cadno. Buan y sylweddolwyd nad oedd ei stori'n dal dŵr.

Roedd John Harries wedi rhoi siec am £9 i Ronnie yn dâl am deiar. Newidiodd Ronnie'r ffigwr i £909 heb sylweddoli mai dim ond £123 oedd yn y cyfrif. Ataliwyd y siec gan reolwr y banc. Trigai brawd John yn Llundain a thaerodd yntau na fyddai ei frawd hyd yn oed wedi ystyried mynd yno. A phetai wedi penderfynu mentro i'r ddinas, buasai'n sicr wedi cysylltu ag ef yn gyntaf. Ar ben hynny roedd Phoebe wedi prynu darn o gig eidion ar gyfer y Sul, a hwnnw yn y ffwrn yn barod i'w rostio.

Holwyd Ronnie sawl tro gan Glynne Jones, Pennaeth CID Heddlu Sir Gaerfyrddin, ond glynodd wrth ei stori wreiddiol. Dechreuwyd chwilio'r ardal, a hynny er mawr ddiddordeb i'r wasg. Cynigiodd y *News of the World* £500 am wybodaeth allweddol. Chwiliwyd pob modfedd o dir y Derlwyn a sychwyd dwy ffynnon ddofn ar y tir, ond yn ofer. Daeth tua 250 o wirfoddolwyr i gynorthwyo'r heddlu i chwilio rhostir Marros lle roedd hen weithfeydd wedi cau ac wedi'u llenwi â dŵr. Daeth dros gant o weithwyr Gorsaf

Arbrofi Pentywyn a swyddogion uwch y fyddin i helpu chwilio traeth naw milltir Pentywyn.

Galwyd am wasanaeth Scotland Yard a daeth yr enwog Dditectif Uwcharolygydd John Capstick a'r Ditectif Ringyll Bill Heddon i'r ardal i helpu yn yr achos. Brodor o Lerpwl oedd Capstick a châi ei adnabod ymhlith ei gyd-swyddogion fel 'Charlie Artful'. Ar ôl mis o chwilio diflino, sylwodd y Rhingyll Phillips fod y bresych deiliog mewn un man yn un o gaeau Fferm Cadno'n ymddangos fel petaent wedi'u tynnu o'r gwraidd a'u hailblannu. Aethpwyd ati i geibio a dadorchuddiwyd dau gorff.

Canfu'r patholegydd fod y tyllau yng nghefn penglogau John a Phoebe Harries yn gyson ag anaf gan forthwyl. Mewn clawdd ar Fferm Cadno canfuwyd morthwyl ag arno olion gwaed. Dywedodd tyst iddo roi benthyg y morthwyl i Ronnie Cadno wythnos cyn diflaniad John a Phoebe. Roedd Ronnie am ei fenthyg ar gyfer 'jobyn trwm'.

Arestiwyd Ronnie, ond gwadodd y ddau gyhuddiad yn ei erbyn. Edmund Davies, C.F., oedd yn erlyn ym Mrawdlys Caerfyrddin a William Mars-Jones a Ronald Waterhouse yn amddiffyn. Ar 16 Mawrth, 1954, cafwyd Ronnie Harries yn euog ac fe'i dedfrydwyd i'w grogi. Ei eiriau olaf wrth y Barnwr, Mr Ustus Havers, oedd: 'Yr wyf yn ddieuog ac mae fy nghydwybod yn glir, syr'.

Apeliodd yn aflwyddiannus yn erbyn y dyfarniad, ac yn ôl yr Arglwydd Brif Ustus Goddard, roedd y dystiolaeth yn ei erbyn yn aruthrol. Yn dyst i'r gwrthodiad gan yr Ysgrifennydd Cartref, Chuter Ede, ar noswyl y crogi roedd Morris Lewis o Landyfrïog, Castellnewydd Emlyn, prif swyddog y carchar. Roedd Harries wedi honni mewn apêl munud olaf fod dau arall wedi ei gynorthwyo. Ar 28 Ebrill dienyddiwyd Ronnie Cadno gan Albert Pierrepoint yng Ngharchar Abertawe.

Er bod Ronnie wedi'i bortreadu fel dyn haerllug, ni fyddai'n cweryla â neb, a syndod i lawer a'i hadwaenai oedd iddo droi'n llofrudd. Llurguniwyd llawer o'r hanes gan y wasg. Dywedwyd i Capstick ddod o hyd i'r cyrff wedi iddo sylwi ar farcutiaid yn hofran uwchben un cae ar Fferm Cadno. Haerwyd hefyd iddo glymu llathenni lawer o edau ar hyd cloddiau ac ar draws pob bwlch ar y fferm heb yn wybod i Ronnie ac i hwnnw, wrth ymweld â bedd John a Phoebe gyda'r nos, dorri'r edau mewn llinell syth o'r tŷ i'r cae. Doedd dim gwirionedd yn hyn, wrth gwrs – plismyn lleol fu'n gyfrifol am ddatrys yr achos.

Cafwyd ôl-nodyn diddorol i'r achos mewn eisteddfod gefn gwlad yn fuan wedyn. Trefnwyd cystadleuaeth cyfansoddi brysneges ar y llythyren 'C'. Dyma un ymgais: 'Ceibiwyd caeau Cadno. Cafwyd cyrff cyn cinio. Capstick'.

Herbert Roy Harris

Nid yn aml y bydd rhywun yn gwenu wrth ddod wyneb yn wyneb ag angau. Ond dyna wnaeth Herbert Roy Harris o'r Fflint wrth wynebu'r gosb eithaf am lofruddio'i wraig.

Cyfarfu Harris, 24 oed, â'i ddarpar wraig Eileen Humphreys yn fuan wedi iddo gael ei ryddhau o'r fyddin a phriodwyd hwy ar 13 Tachwedd 1948. Aeth y ddau i fyw gyda rhieni Roy i gychwyn cyn symud at chwaer Eileen yn Birmingham. Yna daethant yn ôl i'r Fflint i fyw gyda chwaer arall iddi. Roedd cael lle i fyw yn anodd yn y cyfnod yn union wedi'r Rhyfel, felly ansefydlog iawn fu bywyd y ddau yn ystod misoedd cyntaf eu priodas. Bu'n rhaid iddynt fyw ar wahân yn achlysurol, ac arweiniodd hyn at fynych gweryla rhyngddynt. Haerai Roy i'w wraig ymosod arno droeon, unwaith â chyllell, bryd arall â brwsh, rhaw a gaing. Ond buan y gwnaent gymodi, a'u gobaith oedd sicrhau tŷ cyngor.

Ganwyd iddynt dri o blant, dwy ferch ac un bachgen. Saith wythnos oed yn unig oedd y bachgen pan ddaeth diwedd trychinebus ei fam. Trigai Eileen ar y pryd gyda'i rhieni tra bod ei gŵr gyda'i rieni ef yn 77 Queens Avenue, Y Fflint. Ond byddai'r ddau'n cyfarfod bron yn ddyddiol. Disgrifiwyd Roy fel gweithiwr diwyd a gynilai bob ceiniog ar gyfer y diwrnod pan allai fforddio prynu tŷ. Roedd yn

82

ddyn medrus â'i ddwylo a bu'n brysur yn creu dodrefn ar gyfer y cartref newydd.

Cyfarfu'r ddau ddydd Gwener, 7 Rhagfyr 1951 a chytunwyd i fynd i'r sinema gyda'i gilydd drannoeth. Ar y dydd Sadwrn hwnnw bu Roy'n brysur yn gweithio ar ddodrefnyn, a phan gyrhaeddodd gartref ei fam-yng-nghyfraith canfu fod Eileen wedi mynd i'r sinema o'i flaen. Tystiodd merch a weithiai yn y Plaza, Muriel George, i Eileen gyrraedd y sinema ar ei phen ei hun tua 5.30, prynu tocyn deuswllt ac eistedd yn ddigwmni tan ddiwedd y ffilm.

Yn hwyrach y noson honno, wrth iddi groesi Pont Huntley, gwelodd Sarah Owen o Huntley Lodge gorff menyw yn gorwedd ar y ffordd. Credai i ddechrau mai ei merch ei hun oedd yno. Yn ei dryswch cododd ben y ferch a chanfu anafiadau difrifol ar ei hwyneb. Galwyd yr heddlu a chyrhaeddodd yr Arolygydd Idwal Roberts a'r Cwnstabl John Davies. Aethpwyd â chorff Eileen i'r marwdy lle cynhaliwyd archwiliad *post mortem* gan Dr Walter Henry Grace. Canfu yntau fod ei phenglog wedi'i thorri mewn deg o fannau.

Chwiliwyd am Harris a dywedodd ei dad iddo fynd i gyfarfod ag Eileen tua 8.15. Dychwelodd, ond gadawodd unwaith eto. Roedd y tad wedi sylwi bod olion gwaed ar got law a adawodd ei fab ar ôl. Yn y cyfamser, dywedodd tyst o'r enw Irene Hopkins iddi weld Roy Harris yn sefyll wrth arhosfan bws ar Heol Caer tua 8.30. Y casglwr arian ar y bws i Gaer oedd Basil Wilkes a chofiai ef i Harris ddod ar y bws a phrynu tocyn. Dywedodd gweithiwr yng ngorsaf reilffordd Caer iddo weld rhywun tebyg i Harris yn prynu tocyn i Euston, Llundain.

Dilynwyd trywydd Harris i westy'r *Regent's Palace*, Piccadilly yn Llundain. Cofiodd derbynwraig yno i rywun yn ateb disgrifiad Harris ofyn am ystafell ar fore Sul, 9 Rhagfyr. Ysgrifennodd ei enw a'i gyfeiriad ar y ffurflen logi: Herbert Roy Harris, 77 Queens Avenue, Flint. Pan welodd y ferch hanes y llofruddiaeth yn y papur, aeth yn syth at Heddlu Llundain. Arestiwyd Harris gan y Ditectif Ringyll Davies.

Cludwyd ef yn ôl i'r Wyddgrug lle gwaeth ddatganiad dan rybudd. Dywedodd iddo fynd i chwilio am Eileen ar ôl galw yn nhŷ ei mam. Fe'i gwelodd yn gadael y sinema a daeth hithau i'w gyfarfod dan wenu. Er iddo gael ei gythruddo gan ei sirioldeb fe aeth y ddau am dro fraich ym mraich tuag at Bont Huntley. Cwynodd am iddi fynd i'r sinema hebddo a chyfaddefodd hithau iddi wneud hynny'n unswydd er mwyn ei ddigio. Os nad oedd yn hapus â'r sefyllfa gallai bacio'i fagiau a mynd. Gyda hynny trawodd Eileen ef, a phan ofynnodd am esboniad fe'i ciciodd yn ei goes. Syrthiodd i'r llawr lle trawyd ef ar ei war. Er mwyn amddiffyn ei hun cododd yntau garreg a'i thaflu i'r awyr. Yna gafaelodd mewn bar haearn, ei tharo a thaflu carreg fawr ati. Cyfaddefodd iddo golli ei limpin. Ac o'i gweld hi'n disgyn i'r llawr, aeth i banig a rhedodd am adre.

Traddodwyd Harris i sefyll ei brawf, ac ar 4 Chwefror dygwyd ef gerbron yr Ustus Oliver ym Mrawdlys Sir y Fflint yn yr Wyddgrug. Vincent Jones, C.B., oedd yn arwain dros y Goron a Bertram Richards yn ei gynorthwyo. Glyn Jones, C.B., oedd yn amddiffyn gyda W.L. Mars-Jones yn Gwnsler Iau.

Gwahoddodd Glyn Jones y rheithgor i ystyried fod Harris wedi'i gythruddo gymaint gan ei wraig fel y dylid gostwng y cyhuddiad i un o ddynladdiad. Disgrifiodd y diffynnydd fel gŵr o gymeriad glân a fu'n filwr disgybledig.

Dim ond awr gymerodd y rheithgor i'w gael yn euog o

lofruddiaeth ond argymhellwyd yn gryf y dylid dangos trugaredd. Serch hynny, gosodwyd y capan du ar berwig y Barnwr a chyhoeddodd hwnnw y câi'r carcharor ei grogi. Cyn iddo ddwyn yr achos i ben dywedodd y gwnâi dynnu sylw'r Llys Apêl a'r Ysgrifennydd Cartref at argymhelliad y rheithgor.

Methiant fu'r apêl er gwaethaf deiseb yn galw am drugaredd a chais unfed awr ar ddeg i'r Ysgrifennydd Cartref. Crogwyd Herbert Roy Harris yng Ngharchar Strangeways, Manceinion ddydd Mawrth, 26 Chwefror 1952.

Y dienyddiwr oedd Albert Pierrepoint gyda Robert Stewart yn ei gynorthwyo. Yn ôl nodiadau Stewart, ni ddangosodd Harris unrhyw arwydd o ofn wrth iddo gael ei arwain tuag at y drws trap. Yn wir, fe wenodd.

Sarah Jane Harvey

Yn Saesneg ceir hen ddywediad sy'n cyfeirio at gadw sgerbwd mewn cwpwrdd. Dyna yn union wnaeth Sarah Jane Harvey o'r Rhyl. Ac fel sy'n digwydd mor aml mewn achosion o'r fath, fe ddaeth y sgerbwd yn ôl i'w phoeni.

Trigai Alfred a Sarah Jane Harvey yn 35 Stryd Cinmel, Y Rhyl. Ganwyd iddynt fab, Leslie. Ym mis Ionawr 1938 bu farw Alfred gan adael ei wraig i ddibynnu ar incwm a ddeuai o gadw lojars.

Yn 1960 cymerwyd Sarah Jane Harvey yn glaf i'r ysbyty. Roedd ei mab erbyn hyn wedi priodi ac yn byw yn Abergele. Tra oedd ei fam yn yr ysbyty meddyliodd mai peth da fyddai iddo adnewyddu ychydig ar yr hen gartref. Credai y byddai hyn yn sicr o godi'i hysbryd pan ddeuai adref.

Ddydd Iau, 5 Mai, aeth Leslie a'i wraig i gartref ei fam i weld beth oedd angen ei wneud. Ar dop y grisiau roedd cwpwrdd na chofiai Leslie erioed weld ei ddrws yn agored. Fe'i cedwid dan glo, a phob tro y gofynnai'r mab am esboniad câi wybod gan ei fam mai eiddo rhyw Mrs Frances Knight oedd ynddo, cyn-lojar a oedd wedi hen ymadael â'r ardal.

Penderfynodd Leslie a'i wraig agor y cwpwrdd a bu raid iddynt dorri un o'r drysau er mwyn gwneud hynny. Yno, o'u blaen, gwelsant gorff marw yn ei blyg. Roedd gŵn nos am y corff a hwnnw wedi'i orchuddio â gwe pry cop. Roedd papur lladd pryfed hefyd wedi'i osod yno. Roedd y corff, yn amlwg, wedi bod yno ers blynyddoedd.

Galwyd ar yr heddlu a chymerwyd gofal o'r achos gan y Ditectif Arolygydd Huw Williams. Gwelwyd bod y corff wedi crebachu ac wedi mynd yn galed fel lledr. Yn wir, roedd yr holl gorff wedi'i fymieiddio, yn union fel y cyrff a ganfuwyd ym mhyramidiau'r Aifft. Digwydd hyn weithiau pan osodir corff mewn man sych lle gall aer gylchdroi'n rhwydd ac atal drewdod rhag codi o'r gweddillion. Bu raid i'r patholegydd, Gerald Evans, osod y corff mewn twba o doddiant *glycerine* er mwyn ei ystwytho ar gyfer yr archwiliad *post mortem*. Sylwyd hefyd ar weddillion hosan wedi'i chlymu am wddf yr ymadawedig ac ar y rhych o gwmpas y gwddf. Profwyd maes o law mai Mrs Frances Knight ydoedd a chredwyd iddi gael ei thagu i farwolaeth.

Gwraig wedi ysgaru oedd Mrs Knight. Ar 22 Chwefror 1940, gorchmynnodd ynadon y Rhyl i'w chyn-ŵr, oedd bellach yn byw yn Hove, Sussex, dalu cynhaliaeth o £2 yr wythnos iddi, a gwnaethai hynny'n ddi-ffael ar hyd y blynyddoedd. Darganfuwyd bod Harvey wedi derbyn y taliadau'n wythnosol ers ugain mlynedd er bod Frances Knight wedi marw rywbryd ym mis Ebrill 1940. Cyn iddi farw, roedd hi wedi awdurdodi Harvey i gasglu'r lwfans ar ei rhan. Casglwyd y swm cyntaf oddi ar Glerc yr Ynadon ar 2 Mai 1940. Erbyn 1960, roedd Harvey wedi derbyn cyfanswm o £2,080.

Yna canfuwyd bod pum person arall a fu'n lletya yn 35 Stryd Cinmel wedi marw yno, heb sôn am fam a gŵr Harvey. Bu farw Thomas Evans, 57, ar 30 Mai 1926; Ellen Evans, 60, ar 16 Chwefror 1928; Sarah Jones, 64, sef mam Sarah Jane; ei gŵr, Alfred James Harvey ar 28 Ionawr 1938; Jonathan Mould, 67, ar 1 Rhagfyr 1940; Edith Mould, 69, ei chwaer, ar 23 Rhagfyr 1941; a Herbert Lomas, 74, ar 4 Medi 1941.

Arestiwyd Harvey yn gynnar fore Iau, 9 Mehefin 1960 ar gyhuddiad o lofruddio Frances Knight. Mynnodd i Mrs Knight adael a symud i Landudno ac iddi hi gasglu ei harian a'i yrru ati'n rheolaidd byth oddi ar hynny. Ond doedd y cyfeiriad a roddodd i Mrs Knight ddim yn bodoli.

Yna newidiodd ei stori. Maentumiodd iddi ddod ar draws Mrs Knight yn anymwybodol ar lawr yr ystafell ymolchi. Wedi methu â'i chodi aethai i'r gegin am baned o de, ond pan ddychwelodd i'r llofft cafodd fod Mrs Knight wedi marw. Dychrynodd, ac mewn panig, llusgodd y corff ar draws y landing a'i godi i'r cwpwrdd. Rhoddodd bapur lladd pryfed y tu mewn cyn cloi'r drws.

Ond roedd un cwestiwn amlwg a godai amheuon ynghylch ei stori. Os methodd â chodi Mrs Knight ar lawr y bathrwm, sut medrodd hi godi'r corff wedyn a'i roi yn y cwpwrdd? At hynny, tystiodd y Dr Clifft, biolegydd o Labordy Fforensig Preston, i'r darnau papur lladd pryfed gael eu gosod yn y cwpwrdd ar wahanol adegau.

Traddodwyd Mrs Harvey i sefyll ei phrawf ym Mrawdlys Dinbych ddydd Iau, 13 Hydref, gyda'r Cyfreithiwr Cyffredinol, Syr Jocelyn Simon C.F. yn erlyn ac Elwyn Jones, C.F. fel Cwnsler Iau. Andrew Rankin C.F. o Lerpwl oedd yn amddiffyn. Ceisiodd yr Erlyniad brofi i Harvey ladd Mrs Knight er mwyn cael ei dwylo ar y £2 wythnosol. Ni ellid derbyn, chwaith, iddi guddio'r corff yn y cwpwrdd mewn panig – roedd hi'n hen gyfarwydd, wedi'r cyfan, â marwolaethau yn ei chartref. Ac onid oedd presenoldeb yr hosan am wddf y wraig yn arwydd sicr iddi gael ei llofruddio?

Ar ran y diffynnydd dywedwyd ei fod yn arferiad i hen bobl osod hosan o gwmpas eu gyddfau fel meddyginiaeth i wella dolur gwddf. Hwyrach, meddid, iddi dagu'n ddamweiniol. Ond nododd y patholegydd, y Dr Gerald Evans, nad oedd yr hosan wedi ymestyn o gwbl nac yn dangos arwyddion o dyndra.

Anodd oedd profi y tu hwnt i amheuaeth resymol i Sarah Jane Harvey dagu Mrs Knight gan fod ugain mlynedd wedi mynd heibio. Ar gyfarwyddyd y Barnwr dychwelodd y rheithgor ddedfryd o 'ddieuog' a gollyngwyd yr achos yn ei herbyn. Nid oedd unrhyw dystiolaeth i'r lleill a fu'n byw yn 35 Stryd Cinmel farw dan amgylchiadau amheus.

Plediodd Harvey yn euog i ennill arian drwy dwyll a dedfrydwyd hi i bymtheg mis o garchar. Ad-dalwyd i Mr Knight y cyfan o'r arian a gyfrannodd dros ugain mlynedd tuag at gynnal ei gyn-wraig.

William Hughes

Gŵyr llawer ohonom am y gerdd honno gan I.D. Hooson sy'n sôn am Wil yng Ngharchar Rhuthun. Wel, fe fu yna o leiaf un Wil yn y carchar hwnnw. Ei enw oedd William Hughes, ac ef oedd yr olaf i'w grogi yno.

Yn Ninbych y ganwyd William Hughes yn 1859 ac, yn wahanol iawn i lawer o'i gyfoedion, cafodd fwynhau rhai blynyddoedd o addysg. Gweithiodd ar nifer o ffermydd y cylch a phan oedd yn ugain oed, ymunodd â'r 22nd *Cheshire Regiment* ac yna'r Ffiwsilwyr Cymreig. Treuliodd lawer o'i fywyd milwrol yn India. Wedi ymron i un mlynedd ar ddeg fel milwr, dychwelodd i Gymru a daeth o hyd i waith fel glöwr yn Wrecsam.

Yn 1892 priododd â chyfnither iddo, Jane Hannah Williams, a oedd ddeng mlynedd yn iau nag ef. Buont yn byw mewn gwahanol gartrefi yn ardal Wrecsam a ganwyd iddynt bump o blant ond bu farw dau ohonynt yn fabanod. Yn raddol, dirywiodd y briodas a gadawodd Hughes ei deulu a mynd i fyw ym Mhenbedw. Ond aeth ei wraig i chwilio amdano ac ailgychwynnodd y ddau fyw fel gŵr a gwraig. Yn 1901 ganwyd iddynt blentyn arall. Yn yr un flwyddyn bu farw un o'r plant, yn saith oed. Cafodd hyn effaith andwyol ar Jane a bu'n rhaid iddi dreulio cyfnod mewn seilam yng Nghaer.

Wedi i Jane adael y seilam fe symudodd y teulu yn ôl i

Wrecsam, ond ni fuont yno'n hir cyn i Hughes adael am yr eildro gan eu gorfodi i fyw ar y plwy ar bedwar swllt yr wythnos. Doedd hyn ddim yn ddigon i'w cynnal, a bu raid i'r fam a'r ddau blentyn oedd yn weddill fynd i'r wyrcws.

Gan iddo gefnu ar ei deulu, a'u gadael heb gynhaliaeth, fe arestiwyd Hughes a'i ddwyn gerbron Bwrdd y Gwarcheidwaid. Ddydd Iau, 7 Awst 1902, danfonwyd ef i garchar am dri mis. Aeth ei wraig i gadw tŷ i ŵr gweddw, Thomas Maddocks, yn Rhosrobin ond bu'n rhaid iddi adael ei phlant yn y wyrcws am fod gan ei chyflogwr bump o blant ei hun, a thri ohonynt yn byw gartref. Dwy ystafell oedd i'r cartref, a chysgai ef yn un ohonynt tra bod Jane yn y llall gyda'r tri phlentyn.

Fore Iau, 6 Tachwedd, rhyddhawyd Hughes o Garchar Amwythig ac aeth i fyw gyda'i chwaer a'i frawd-yng-nghyfraith, Robert Jones, ym Mhen-y-cae lle'r oedd ei fam hefyd yn byw. Gwelodd Jane, a Miriam Williams ei chwaer, Hughes yn y tŷ pan aethant yno i weld eu mam. Yn ddiweddarach, wrth ddod ar ei draws yn y stryd, gofynnodd Jane iddo am arian tuag at gynnal y plant. Yn oeraidd ddigon, atebodd hwnnw y gallent aros yn y wyrcws. Wedi'i syfrdanu gan ei agwedd, dywedodd Jane y gwnâi ei gorau iddo gael ei ddanfon 'nôl i garchar.

Credai Hughes fod ei wraig a Maddocks yn cyd-gysgu. Drannoeth, galwodd yn nhŷ hwnnw a gofyn i Jane am rai o'i ddillad yn ôl, ond roedd hi eisoes wedi'u rhoi i'w brawd-yng-nghyfraith. Gwylltiodd Hughes a'i bygwth, ond rhoddodd hithau debot bach arian iddo i'w heddychu, eiddo'r ferch fach oedd newydd farw.

Y Sul canlynol gadawodd Hughes dŷ ei frawd-yng-nghyfraith tua un o'r gloch y bore. Roedd gan Robert Jones wn dwy faril ac aeth â'r arf gydag ef, yn ogystal â dwy getrisen o ddrôr y gegin. Cerddodd y pedair milltir i dŷ

Thomas Maddocks oedd yn gweithio shifft nos yn y lofa.

Yna, tua hanner awr wedi tri y bore, roedd y Cwnstabl Thomas Pryce Rees ar ddyletswydd yn Rhosrobin pan ddaeth William Hughes ato a dweud iddo saethu ei wraig. Roedd hi'n anodd gan y plismon gredu'r stori er bod gan Hughes ddryll mewn un llaw a chetrisen yn y llall. Ond aeth Hughes yn ei flaen: 'Does dim camgymeriad, anelais ati a saethais ei gyts hi allan. Roeddwn i wedi meddwl rhoi un iddi hi ac un iddo ef'. Aeth y Cwnstabl ag ef i'r ddalfa.

Pan aeth y Rhingyll Harvey a'r Cwnstabl i dŷ Maddocks gwelsant Jane yn gorwedd yn farw ar waelod y grisiau.

Yn y marwdy yn Wrecsam canfu Dr Drinkwater anaf maint pishyn deuswllt ym mron dde Jane. Roedd yr ergyd wedi mynd drwyddi ac roedd ei hasennau wedi'u chwalu a darnau bychain o asgwrn yn rhydd o fewn y corff. Roedd y *shots* wedi mynd drwy'r ysgyfaint dde i'r ochr dde o'r galon ac i un o'r arennau. Yn nes i lawr canfu'r meddyg anaf arall, un mwy o faint, lle'r oedd yr ergyd wedi gadael y corff. Yno roedd y stumog a'r perfedd wedi dod allan. Achos y farwolaeth, meddai, oedd anafiadau difrifol a achoswyd gan ergyd o wn.

Yn y cwest, fore Mawrth y deunawfed, penderfynodd y rheithgor i Hughes lofruddio'i wraig a'r dydd Llun canlynol fe'i traddodwyd i sefyll ei brawf. Ymddangosodd ddydd Iau, 29 Ionawr 1903 gerbron yr Ustus Bray ym Mrawdlys Rhuthun lle'r oedd D.A.V. Colt-Williams yn erlyn gyda Trevor F. Lloyd yn ei gynorthwyo. E. Jones Griffiths, A.S. ac E. Owen Roberts oedd yn amddiffyn. Plediodd yn ddieuog.

Tystiodd Thomas Maddocks, 11 oed, sef mab cyflogwr Jane, iddo fod yn cysgu pan alwodd hi arno i ateb y drws, gan feddwl mai ei dad oedd wedi cyrraedd adref o'r gwaith. Ond William Hughes oedd yno, meddai'r plentyn, yn gofyn am ei dad. Atebodd y bachgen ei fod yn y gwaith a cherddodd Hughes i mewn gan alw ar Jane. Fe ddaeth hi i lawr y grisiau gan ddanfon y plentyn i'w wely. Er i'r bachgen glywed ergyd gwn, ni feddyliodd fod dim byd o'i le ac aeth yn ôl i gysgu nes iddo gael ei ddihuno gan yr heddlu yn ddiweddarach.

Doedd dim amheuaeth mai Hughes a laddodd ei wraig, ond ceisiodd yr Amddiffyniad brofi fod y diffynnydd yn wallgof. Tystiodd Dr W.W. Herbert, swyddog meddygol yn Seilam Dinbych, fod Hughes yn dioddef o glefyd y galon, a bod chwydd yn ei iau a'i *spleen* o ganlyniad, hwyrach, i'r clefyd malaria a ddioddefodd yn India. Roedd arwyddion yn ei bersonoliaeth yn awgrymu gwallgofrwydd o ganlyniad i'r salwch hwnnw, y frech fawr, neu *syphilis*, ac alcoholiaeth. Roedd Dr Cox, hefyd o Seilam Dinbych, wedi archwilio Hughes deirgwaith. Roedd wedi siarad ag ef ar fore'r drosedd ac roedd yn argyhoeddedig na ellid ei ddal yn gyfrifol am yr hyn a wnaeth.

Deng munud yn unig y bu'r rheithgor yn cyd-drafod cyn cael William Hughes yn euog o lofruddiaeth, ac am wyth o'r gloch fore Mawrth, 17 Chwefror fe'i harweiniwyd tua'r crocbren. Cofir amdano fel yr olaf i'w grogi yng Ngharchar Rhuthun.

Harry Huxley

Oni bai am ddarn metel yn ei fresys, byddai Harry Huxley wedi cymryd ei fywyd ei hun yn hytrach na gorfod wynebu'r crocbren am lofruddio'i gariad, Ada Royce.

Gŵr sengl, 42 oed, oedd Harry Huxley. Trigai yn Stryd y Castell, Holt, gyda'i fam weddw, oedrannus. Yn dilyn cyfnod yn y fyddin aeth Harry i weithio fel labrwr mewn ffatri leol. Ar ei ffordd adref o'i waith ryw ddiwrnod, mewn tafarn yn Farndon, tynnwyd ei sylw gan Ada Royce, menyw briod 33 oed a chanddi ddau o blant. Trigai Ada gyda'i gŵr, Charles Henry Royce, ym Mharc Dee gerllaw. Roedd Huxley ac Ada eisoes yn adnabod ei gilydd ond ni ddaethant yn gariadon tan y cyfarfyddiad hwnnw yn y dafarn.

Yn 1947 ganwyd trydydd plentyn i Ada a dywedodd wrth Huxley mai ef oedd y tad. Derbyniodd y newyddion yn llawen a chyfrannodd yn ariannol tuag at ei gynnal. Ond unochrog oedd y garwriaeth rhyngddo ef ac Ada. Oerodd ei theimladau hi a dechreuodd ei osgoi.

Ddydd Nadolig 1951, benthyciodd Huxley ddryll dwy faril a chetris oddi wrth ffrind, Albert Lowe, Bottom Farm, Farndon, er mwyn saethu ffesantod. Ond y noson honno aeth i'r *Gredington Arms* â'r gwn yn ei feddiant. Yno gwelodd Ada gyda'i chwaer-yng-nghyfraith, Ellen Bithell. Ceisiodd brynu diod iddynt ddwywaith, ond cafodd ei gynigion eu gwrthod. Yfodd Huxley'n drwm a dechreuodd chwifio'r dryll a'i anelu at wahanol gwsmeriaid. Ond gan ei fod fel arfer yn ddyn tawel, diniwed, ni feddyliodd neb ei fod o ddifrif.

Yna, ar nos Sadwrn olaf Rhagfyr, aeth i chwilio am Ada ac fe'i canfu yn y *White Lion*, eto yng nghwmni Ellen Bithell. Wrth i'r ddwy adael amser cau fe'u dilynwyd gan Huxley. Plediodd â hwy am sylw ac yna dywedodd wrth Ada y buasai wedi'i saethu ar noson y Nadolig oni bai ei fod mor feddw. Sylweddolodd hithau nad cellwair yr oedd. Aeth i ffwrdd ond dychwelodd yn ddiweddarach gyda'i brawd, William Bithell. Pan welodd Huxley hwy yn nesáu, estynnodd am y gwn a'i danio. Disgynnodd Ada'n farw lai na 150 llathen o'i chartref. Yna trodd Huxley'r dryll arno ef ei hun a thanio.

Pan gyrhaeddodd yr heddlu, fodd bynnag, roedd Huxley'n fyw a gellid ei glywed yn datgan ei gariad tuag at Ada. Bu farw Ada yn y fan a'r lle, ond cludwyd Huxley i'r ysbyty lle gwelwyd bod yr ergyd a daniodd i'w ladd ei hun wedi taro yn erbyn darn o fetel yn ei fresys ac wedi newid cyfeiriad.

Yn yr archwiliad *post mortem* datgelodd Dr Walter Henry Grace fod archoll gron tua hanner modfedd o ddiamedr ym mron chwith Ada. Dynodai hyn fod y gwn wedi'i danio'n agos iawn at ei chorff. Chwalwyd tair o'i hasennau a rhwygwyd ceudod chwith y galon.

Ym mhocedi Huxley canfuwyd dau ddarn o bapur. Nodyn at ei fam oedd un yn gofyn iddi ofalu am ei fab ef ac Ada. Nodyn wedi'i arwyddo gan ryw 'W.P.' oedd y llall yn datgan fod Ada yn gweld rhywun arall adeg y Nadolig ac mai hwnnw oedd tad un o'r plant. Enw Harry Royce, gŵr Ada, oedd ar yr amlen. Cyfaddefodd Huxley yn ddiweddarach mai ef oedd awdur y neges ac mai'r bwriad oedd cael Ada a'i gŵr i wahanu.

Ymddangosodd Huxley ar gyhuddiad o lofruddiaeth ym Mrawdlys Rhuthun ar 20 Mai 1952, gyda Rose Heilbron C.F. yn amddiffyn ac Edmund Davies, C.B. yn erlyn gyda William Mars-Jones yn Gwnsler Iau. Y Barnwr oedd Mr Ustus Croom-Johnston.

Dadleuodd yr Amddiffyniad mai yn ddamweiniol y taniodd Huxley'r gwn. Dywedodd iddo dynnu'r ddau forthwyl wrth iddo chwilio am ffesantod ac iddo anghofio'u gosod yn eu hôl yn y safle diogel. Yn wir, disgynnodd un morthwyl yn nwylo Miss Heilbron yn y llys heb iddi gyffwrdd ag ef. Dywedwyd hefyd i berchennog y gwn rybuddio Huxley y gallai'r arf danio'n ddamweiniol. Cadarnhawyd gan arbenigwr o'r Labordy Fforensig bod y gwn yn ddiffygiol. Serch hynny, awgrymai ymddygiad Huxley yn ystod y dyddiau cyn y llofruddiaeth ei fod wedi rhoi ei fryd ar saethu Ada.

Gofynnodd y rheithgor gwestiwn yr oedd y Barnwr yn ei ystyried yn un rhyfeddol: 'Pe gosodwyd y gwn yn erbyn corff y fenyw, wedi'i lwytho ac yn barod i'w danio gan fwriadu ei llofruddio, ac i'r gwn danio heb dystiolaeth i'r glicied gael ei thynnu ai peidio, ai llofruddiaeth ynteu dynladdiad fyddai eich cyfarwyddyd?' Ateb y Barnwr oedd: 'Os gwnewch rywbeth sy'n achosi marwolaeth, gan fwriadu mai dyna fyddai'r canlyniad, mae'r ffaith ei fod wedi'i danio'n ddamweiniol foment neu ddwy cyn tynnu'r glicied yn ddigon, mi gredaf, i chi ddweud fod yna ddigon o gysylltiad rhwng y pethau hyn fel bod dedfryd o lofruddio bwriadol yn iawn. Ond chi sydd i benderfynu.'

Y canlyniad fu i Huxley gael ei brofi'n euog a'i ddedfrydu i'w grogi. Apeliodd yn aflwyddiannus gerbron yr Arglwydd Brif Ustus Goddard a'r Ustusiaid Slade a Parker ac fe'i crogwyd ddydd Mawrth, 8 Gorffennaf 1952 yng Ngharchar Amwythig.

Ni wnaeth ei fresys ei achub y tro hwn.

Albert Edward Jenkins

Er mai rhaff Albert Pierrepoint ddaeth â bywyd Albert Edward Jenkins i ben, gellid dweud mai pâr o gareiau esgidiau a'i crogodd mewn gwirionedd.

Dyn cadarn, eithriadol o gryf oedd Jenkins, 38 oed, a chanddo wyneb rhuddgoch a mwstás tywyll, trwchus. Trigai ef a'i wraig a'u dau blentyn ar fferm Furzehill, Rosemarket, Sir Benfro. Tenantiaid oeddynt ar y fferm 28 erw a gymerwyd ganddynt yn 1945, a'r rhent blynyddol i berchennog y fferm, William Henry Llewellyn, 52 oed o Ellesmere gerllaw, oedd £50.

Roedd Jenkins yn awyddus i brynu Furzehill oddi wrth Llewellyn, ac ar 22 Mawrth 1949, prisiwyd y fferm gan Lees a Thomas, Hwlffordd. Er mai £575 oedd gwerth y fferm, ac i Jenkins gynnig talu'r swm hwnnw a mwy, mynnai Llewellyn gael £1,000.

Yn gynnar nos Sul, 9 Hydref y flwyddyn honno, anfonodd Jenkins ei fab â llythyr i gartref Llewellyn yn ei wahodd i drafod dyfodol Furzehill y bore wedyn. Am iddo fethu â chael ateb, gwthiodd y plentyn y llythyr i dwll clo'r drws ffrynt.

Drannoeth, yn gynnar, gadawodd Mrs Jenkins a'r plant am Ffair Penfro. Bwriadai ei gŵr ymuno â hwy yn ddiweddarach. Pan gyrhaeddodd George Russell Codd, insemineiddiwr gyda'r Bwrdd Marchnata Llaeth, glos

Furzehill i weini ar anner tua 11.30, gwelodd Jenkins yn gyrru tractor yn llusgo bocs ac ynddo fwndel o dan darpolin. Edrychodd Jenkins arno'n wyllt cyn gyrru i gyfeiriad pwll clai rhyw 500 llathen i ffwrdd. Gadawyd Codd i fynd i'r beudy ar ei ben ei hun, peth anarferol iawn.

Roedd y pwll clai i'w weld o fferm Upper Bartleford, 800 llathen i ffwrdd, ac o'r fferm honno, tua 2.30 y prynhawn, gwelwyd Jenkins yn gadael y fan gan redeg tuag at y tŷ yn cario rhywbeth yn debyg i raw.

Yn ôl Mrs Mona Llewellyn, roedd ei gŵr wedi gadael i gadw'r oed yn Furzehill tua 8.30 y bore ar gefn ei feic. Gan na ddychwelodd i ginio fe aeth hi a'i llysferch i chwilio amdano. Yn Furzehill dywedodd Jenkins, a oedd wedi gwisgo ar gyfer mynd i'r ffair, fod Llewellyn wedi hen adael. Ni soniodd air am y drafodaeth a fu rhyngddo a'i gŵr yn gynharach y bore hwnnw.

Dywedodd Jenkins iddo gerdded i ddal y fferi o Neyland i Benfro. Ond yn ôl tystion, fe'i gwelwyd ar feic. Yn wir, canfu tyst arall feic Hercules du tua 800 llathen o'r fferi. Profwyd yn ddiweddarach mai beic Llewellyn oedd hwn.

Pan gyrhaeddodd Jenkins gartref, roedd yr heddlu a thua 70 o gymdogion yn cario lampau *Tilley* yn chwilio am Llewellyn. Ddiwedd y prynhawn drannoeth, gwelodd George Victor Williams fod y ddaear wedi'i haflonyddu ger y pwll clai. Dechreuodd gloddio, a chyda help y Sarsiant Rossitter dadorchuddiwyd bysedd traed dynol. Maes o law tynnwyd corff Llewelyn yn droednoeth o'r twll. Ym mhoced ei siaced canfuwyd darn o garrai esgid.

Ym marwdy Aberdaugleddau dangosodd profion *post mortem* fod anafiadau difrifol i ochr dde'r pen a bod darnau bychain o asgwrn y benglog yn eisiau. Roedd yr ymadawedig wedi dioddef dwy ergyd ar ochr ei ben, ac roedd y benglog wedi'i thorri mewn sawl man. O ganlyniad i hynny, roedd yr ymennydd wedi'i falu.

Esboniad Jenkins oedd iddo gwrdd â Llewellyn wrth iddo gludo llaeth i ben y lôn. Roedd Llewellyn wedi ei ddilyn i'r tŷ ac wedi derbyn cynnig o £1,000 am y fferm. Roedd Jenkins wedi talu, mewn arian sychion, gyfanswm o £1,050 gan fod arno ddyled o £50 i Llewellyn. Roedd hwnnw wedi arwyddo derbynneb dros stamp dwy-a-dimau yn y llyfr rhent. Yna, roedd y ddau wedi cerdded allan tuag at glwyd y fferm ac wedi ffarwelio ar delerau da.

Pan ofynnwyd iddo o ble y cafodd yr arian i dalu am y fferm, dywedodd iddo'i ennill drwy weithio i gwmni gwerthu glo ac fel marchnatwr cynnyrch gerddi, a thrwy weithio ar wahanol ffermydd. Cadwai'r arian mewn twll uwchben trawst nenfwd ei dŷ er mwyn osgoi taliadau Cyllid y Wlad. Dywedodd fod ganddo £250 hefyd wedi'i guddio mewn tun *pilchards* mewn ceudwll uwchben ffynnon ger y tŷ. Ond er iddynt chwilio'n ddyfal, methodd yr heddlu â dod o hyd iddo.

Ond beth am y ffaith na chanfuwyd arian ar y corff? Doedd y stori ddim yn dal dŵr. Roedd ôl diwygio hefyd ar y llyfr rhent a'r enw 'Llewellyn' wedi'i sillafu fel 'Llewellin'.

Pan ddaethpwyd o hyd i esgidiau Llewellyn dan domen o ddail yn un o siediau'r lloi, doedd dim careiau ynddynt. Ond ym mhoced Jenkins canfuwyd pâr o gareiau lledr, un yn fyrrach na'r llall. O osod y darn a ganfuwyd ym mhoced Llewellyn wrth un pen i'r darn byrraf, gwelwyd bod y ddwy garrai bellach yr un hyd. Cofiodd Mona Llewellyn iddi weld ei gŵr un dydd yn torri carrai wrth glymu ei esgidiau ac yn gosod y darn byrraf yn ei boced.

Canfuwyd olion gwaed ar ddillad Jenkins, a gwaed wedi ceulo ynghyd â darnau o groen neu gnawd dan domen o laid ger drws y tŷ. Roedd olion gwaed hefyd ar ddrws sièd y lloi ac ar y bocs y tu ôl i'r tractor.

Wedi i Jenkins gael ei gyhuddo'n ffurfiol o lofruddiaeth, danfonodd lythyr at y Prif Gwnstabl yn honni bod dau ddyn wedi galw wedi i Llewellyn adael. Ni wyddai pwy oeddynt, ond awgrymodd mai'r ddau hyn oedd wedi llofruddio Llewellyn. Pan ymddangosodd Jenkins am y tro cyntaf gerbron y llys yn Roose, Hwlffordd, gofynnwyd am ei gadw yn y ddalfa. Yn ôl yr Uwcharolygydd B. Williams, roedd 'llawer o waith caib a rhaw i'w wneud eto'. Geiriau eironig iawn!

Ym Mrawdlys Hwlffordd datgelwyd sefyllfa ariannol Jenkins. Roedd ganddo orddrafft ym Manc Lloyds, Hwlffordd, a dyled o £136. Roedd y man yr honnai iddo gadw ei gynilion yn y nenfwd yn drwch o we corynnod a llwch.

Arthian Davies C.F. oedd yn erlyn, gyda Roderick Bowen a H.V. Lloyd-Jones a Rowe Harding yn amddiffyn. Y cyfreithwyr ar ran Jenkins oedd F.F. Greathead a'i Gwmni, Penfro. Ar 2 Mawrth cymerodd yr Ustus Byrne dros awr a hanner i grynhoi'r achos. Pwysleisiodd mai tystiolaeth amgylchiadol yn unig a gafwyd yn erbyn Jenkins ond honno, yn aml, oedd y dystiolaeth orau. Y dystiolaeth ddamniol oedd y careiau lledr ym mhoced y cyhuddedig a'r darn llai, cyfatebol, ym mhoced Llewellyn.

Tri chwarter awr gymerodd y rheithgor i gael Jenkins yn euog. Gadawyd i ddau ddydd Sul fynd heibio cyn ei ddienyddio, yn ôl yr arfer. Gwrthodwyd apêl munud olaf gan yr Ysgrifennydd Cartref, Chuter Ede. Am naw o'r gloch ddydd Mercher, 19 Ebrill 1950 crogwyd Albert Edward Jenkins. Yn ôl yr hanes, gwrthododd fynd yn dawel a defnyddiodd bob mymryn o'i nerth i frwydro yn erbyn y crogwr a'i gynorthwywyr. Yn wir, bu'n rhaid ei osod mewn caethwasgod (*straight jacket*) a'i gario tuag at y crocbren.

Harold Jones

Pan gafwyd llanc o Abertyleri yn ddieuog o lofruddio merch fach ddechrau 1921, fe ddathlodd y dref gyfan. Bythefnos yn ddiweddarach fe lofruddiwyd merch fach arall yn yr un dref a synnwyd pawb pan gyfaddefodd y llanc ei fod yn euog o'r ddwy lofruddiaeth.

Fore Sadwrn, 5 Chwefror 1921, aeth Harold Jones, 15 oed o 4 Heol Darren, Abertyleri, i weithio i siop hadau Herbert Henry Mortimer. Ychydig wedi naw galwodd merch fach 8 oed, Elsie Maud Freda Burnell, yn y siop i brynu sbeis ar gyfer bwyd ieir, ac ychydig o raean. Yn ei phoced roedd swllt a dwy a dimai. Talodd ddwy a dimai am y sbeis, ond roedd y bagiau graean gwerth swllt wedi'u gwerthu allan. Yn ôl Jones, gadawodd y ferch fach y siop gyda'r sbeis a'r swllt oedd yn weddill. Ni welwyd hi'n fyw wedi hynny.

Canfuwyd corff Freda tua 7.20 y bore wedyn ar lôn gefn Stryd Duke, heb fod nepell o sièd yr âi Jones iddi bob bore i gyrchu stoc i'r siop. Hanner canllath yn unig oedd rhwng y sièd a'r siop.

Yn ôl Dr Thomas E. Lloyd, Y Fenni, bu farw Freda rhwng 1.00 a 1.30 brynhawn Sadwrn. Canfu anaf ar ei phen, nifer o gleisiau ar ei chorff, ac olion ymgais i'w thagu a hefyd i'w threisio. Credai i'r anafiadau ddigwydd rhwng 9.15 a 9.45 fore Sadwrn. Galwyd ar unwaith am wasanaeth Scotland Yard, a daeth y Ditectif Arolygydd Helden a'r Ditectif

Ringyll Soden i Abertyleri y bore Llun canlynol.

Mewn cwest a gynhaliwyd gan y Crwner, Mr Wilberforce Richmond Dauncey, ac a barhaodd am ddiwrnod cyfan, holwyd Harold Jones ddwywaith, y tro cyntaf am bedair awr a'r eildro am dair awr. Atebodd bob cwestiwn a ofynnwyd iddo. Doedd ganddo ddim cyfreithiwr, a'r unig dystiolaeth i'w gysylltu â'r llofruddiaeth oedd mai ef oedd yr olaf i'w gweld. Clywyd hefyd fod Freda wedi bod yn galw yng nghartref Jones i chwarae ac i'r llanc, wedi'r diflaniad, alw ddwywaith gyda'i thad i holi a oedd hi wedi dod i'r fei.

Wedi dwy awr o gyd-drafod roedd y rheithgor am ddychwelyd dedfryd agored, ond mynnai'r Crwner ddedfryd o lofruddiaeth gan berson neu bersonau anhysbys. Ac ar ôl pedair awr arall, dyna'r ddedfryd a ddychwelwyd.

Ddydd Llun, 7 Mawrth arestiwyd Harold Jones a'i gyhuddo. Agorwyd yr achos yn ei erbyn ym Mrawdlys Sir Fynwy ddydd Mawrth, 21 Mehefin. Yn gwbl hunanfeddiannol, gwadodd Jones y cyhuddiad. Roedd y boblogaeth leol o'i blaid a sefydlwyd cronfa er mwyn cyflogi tîm cyfreithiol cymwys i'w amddiffyn. Codwyd £500. Ei gyfreithiwr oedd W.J. Everett, Pont-y-pŵl, J.B. Mathews C.B. oedd ei Gwnsler gyda St John G. Micklethwaite yn Gwnsler Iau. Y Barnwr oedd Mr Ustus Bray gyda C.E. Vachell C.B. yn erlyn a Lort Williams yn Fargyfreithiwr Iau.

Pan ddaeth Jones i'r doc edrychodd dros ei ysgwydd at oriel y cyhoedd lle gwelodd ei fam. 'Helô, 'machgen i,' meddai'r fam. 'Helô, Mam,' atebodd yntau. Creodd hyn argraff fawr ar y rhai oedd yn bresennol.

Pwysleisiodd Vachell nifer o bwyntiau arwyddocaol ac fe'u rhestrodd fel hyn: roedd tystion wedi clywed beichio wylo yn dod o gyfeiriad y sièd; roedd y ferch wedi diflannu ar ôl gadael y siop; roedd y ferch wedi mynd i'r sièd am fod graean yn cael ei gadw yno; dim ond Harold Jones fyddai wedi mynd i'r sièd ar yr adeg dan sylw; gwyddai ef sut i fynd i mewn i'r sièd; roedd y ferch yn ei adnabod yn dda; doedd gan y llanc ddim alibi.

Datgelwyd fel tystiolaeth fod hances Ivy, chwaer Freda, wedi'i darganfod yn y sièd. Cyfaddefodd Jones iddo fod yn absennol o'r siop ar yr adeg dyngedfennol ond mai gadael i brynu sigaréts a wnaeth. Bu cryn drafod ynglŷn â'r modd y symudwyd y corff a'r cyfle a gafodd y llanc i'w symud o'r sièd i'r man y'i canfuwyd.

Wedi i Jones dystio, fe ystyriodd y rheithgor o saith dyn a phum dynes yr achos am awr a hanner cyn ei gael yn ddieuog. Yn dilyn y dyfarniad ymddangosodd ar oriel gwesty lleol yn chwifio'i ddwylo ar y dorf oedd wedi ymgynnull y tu allan i'w gefnogi. Addurnwyd y strydoedd o gwmpas ei gartref â baneri a threfnwyd swper mewn gwesty moethus i ddathlu.

Bythefnos yn ddiweddarach, er syndod i bawb, diflannodd merch fach arall, Florence Little, 11 oed. Roedd hi wedi bod yn chwarae gyda Jones, ei chwaer a phlant eraill. Awgrymodd Jones y dylid defnyddio gwaetgwn i chwilio amdani, ac ymunodd ef ei hun yn y chwilio. Canfuwyd corff y ferch fach yn nhaflod cartref Harold Jones. Roedd ei gwddf wedi'i dorri.

Unwaith eto ni fedrai'r bobl leol gredu fod Jones yn llofrudd. Ond pan safodd ei brawf ym Mrawdlys Sir Fynwy ar 1 Tachwedd 1921, plediodd yn euog. Nododd y Barnwr nad oedd yn arferol i ganiatáu ple o 'euog' mewn achos oedd yn denu'r gosb eithaf ac na ellid gweinyddu'r gosb eithaf yn erbyn rhywun mor ifanc â'r diffynnydd. Felly ni ddylai bledio'n euog. Ond fe'i perswadiwyd i dderbyn y ple yn absenoldeb unrhyw ddewis arall.

Oherwydd ei oedran, yr unig gosb bosib fyddai ei gadw dan glo hyd nes y gwelai Ei Fawrhydi'n dda i'w ryddhau. Petai wedi ymddangos yn y Frawdlys nesaf, ym mis Ionawr, byddai wedi bod yn 16 oed ac yn ddigon hen i'w grogi.

Cyfaddefodd Harold Jones y cyfan. Dywedodd iddo lofruddio Flora Little oherwydd yr awydd i'w lladd. Ar ôl esbonio sut y'i lladdodd cyfaddefodd iddo hefyd lofruddio Freda Burnell.

Yn ôl tystiolaeth y patholegydd roedd arwyddion o gymhellion rhywiol yn y ddwy lofruddiaeth. Roedd gan y llanc hefyd gasgliad rhyfedd o hancesi merched a dau lythyr oddi wrth ryw foneddiges anhysbys, llythyron a oedd braidd yn awgrymog.

Cadwyd Harold Jones yn gaeth hyd 1941 pan ymunodd â'r Llynges Fasnach. Bu farw yn 1971.

Rex Harvey Jones

Mae'r cyfeiriad 10 Rillington Place yn un sydd wedi'i serio ar gof unrhyw un sy'n gwybod unrhyw beth am lofruddiaethau. Yno y trigai'r llofrudd milain John Reginald Halliday Christie, a'r diniwed Timothy Evans a grogwyd ar gam. Un peth nad yw mor wybyddus yw i ddyn arall a drigai yn y stryd ar un adeg gael ei grogi hefyd. Ac, fel Evans, Cymro oedd hwnnw hefyd.

Yn 1949, trigai Rex Harvey Jones yn 15 Heol y Tyla, Duffryn, y Rhondda. Nos Wener, 3 Mehefin teithiodd ar fws tuag adref. Yn teithio adref ar yr un bws roedd Beatrice May (Peggy) Watts, merch ugain oed o 20 Greenfield Cottages, Abercregan. Yr hynaf o bedwar o blant, gweithiai yn y *Britton Ferry Tinplate Works*.

Roedd Peggy wedi bod mewn dawns yn yr Hostel yn Nhreforys ac wedi dal y bws yng ngorsaf ganolog Castell-nedd. Roedd Jones wedi bod gyda'i ddau frawd, Fred ac Aubrey, yn y dref y noson honno yn mwynhau eu hunain mewn clwb. Yn ôl ei gyfaddefiad ei hun, roedd Jones wedi yfed saith peint o gwrw.

Roedd Rex a Peggy eisoes yn adnabod ei gilydd yn dda ar ôl cyfarfod am y tro cyntaf y Nadolig cynt. Yn wir, bu'r ddau yn gariadon. Pellter o bedair milltir yn unig oedd rhwng cartrefi'r ddau yn y Duffryn ac Abercregan, dau bentref glofaol, gydag Abercregan yn bentref unig wrth droed Mynydd Nantybar.

Gwelwyd y ddau yn cyd-deithio ar y bws. Ar ôl ychydig, eisteddodd Peggy yng nghôl Rex i wneud lle i rywun arall eistedd. Gadawodd y ddau'r bws yn y *Duffryn Halt* a dywedodd Rex ei fod am ddanfon Peggy adref. Gwelwyd y ddau gan Mrs Colwyn, Nantybar, yn breichio'i gilydd wrth gerdded i gyfeiriad planhigfa ar droed y mynydd.

Ychydig wedi 1.00 y bore wedyn, derbyniodd y Cwnstabl Michael, heddwas yng ngorsaf heddlu y Cymer, alwad ffôn oddi wrth ddyn ifanc yn dweud iddo dagu Peggy Watts o Abercregan. Esboniodd iddo'i thagu â'i ddwylo. Aeth ymlaen i ddweud iddo fethu â chael ymateb wrth deimlo'i phyls, a'i bod hi'n farw. Dywedodd y gwnâi gyfarfod â'r heddwas ger ciosg teliffon yn y Cymer. Pan gyrhaeddodd yr heddwas yno, roedd Rex Harvey Jones yno'n ei ddisgwyl gyda golwg wyllt arno. Cyfeiriodd yr heddwas tua'r blanhigfa lle gorweddai corff Peggy o fewn golwg i'w chartref gerllaw. Cafwyd mai achos y farwolaeth oedd llindagiad â dwylo.

Mewn cyfweliad â'r Ditectif Uwcharolygydd Blewden, syrthiodd Jones ar ei fai ar unwaith. Gwyddai, meddai, iddo'i thagu â'i ddwylo'i hun gan fod ei ddau fys bawd yn boenus. Fe'i cyhuddwyd o lofruddiaeth ac ymddangosodd gerbron Brawdlys. Ryland Thomas oedd yn erlyn, gyda K.S. Wherle yn amddiffyn.

Dywedodd y Barnwr wrth y rheithgor wrth grynhoi na fyddai'r cwestiwn o ddynladdiad neu farw drwy ddamwain yn codi o gwbl. Dywedodd mai llofruddiaeth a gyflawnwyd a rhaid oedd iddynt benderfynu a oedd yn euog o hynny ai peidio. Mynnodd hefyd y dylai'r rheithgor ddiystyru cymeriad glân a dilychwin Jones a chaledu eu calonnau er mwyn sicrhau y câi cyfiawnder ei weinyddu, nid yn unig er budd daioni ond hefyd er lles eu cyd-ddinasyddion.

Daeth yr achos i ben ddydd Mawrth, 12 Gorffennaf 1949. Cafwyd Jones yn euog, ond gydag argymhelliad cryf am drugaredd. Er hynny, fe'i dedfrydwyd i'w grogi a methiant fu pob ymgais i ddiddymu'r gosb eithaf.

Buasai Rex Harvey Jones yn y fyddin, ac roedd wedi treulio dwy flynedd yn y Dwyrain Pell. Tra oedd yn Llundain yn 1946 cyfarfu, ar ddamwain, â merch yn Edgware Road. Digwydd gofyn yr amser iddi a wnaeth a daethant yn ffrindiau. Ei henw oedd Pamela Cole o 81 Bramley Road, W10, a gweithiai mewn golchdy. Cyn ei grogi danfonodd Jones lythyr ati o Garchar Abertawe. Dyma gyfieithiad ohono:

F'annwyl Pam,
Mae'n debyg dy fod yn gwybod erbyn hyn fy mod i yng ngharchar am lofruddio. Cefais gyfle i ysgrifennu un llythyr, ac rwy'n dymuno ei ysgrifennu atat ti.

Ti yw'r peth gorau a ddigwyddodd i fi yn fy mywyd, Pam, ac rwy am i ti wybod fy mod i wedi dy garu di erioed. Gallasem fod wedi bod yn hapus gyda'n gilydd, cariad. Ond fe fu raid i mi wallgofi a llofruddio rhywun – ac am hynny fe gaf, mae'n debyg, fy nghrogi.

Pam, fy nghariad, ceisia beidio â meddwl amdana i fel llofrudd ond yn hytrach fel rhywun a wnaeth dy garu. Dwed wrth dy holl deulu i fi eu mwynhau i gyd. Ceisia ganfod rhywun gweddus a phrioda ag ef, cariad. Anghofia fi a cheisia fyw bywyd hapus.

Ffarwél, cariad, mewn bywyd ac mewn marwolaeth rwy'n dy garu,

Rex.
XXXXXXXXXXXX.

Gwrthodwyd apêl yn erbyn crogi Jones gan yr Ysgrifennydd Cartref, Chuter Ede, a chrogwyd ef am 9.00 y bore ddydd Iau, 4 Awst 1949, a hynny gefn wrth gefn â llofrudd arall, Robert Thomas Macintosh.

Yn ystod ei gyfnod yn Llundain trigai Jones, mae'n debyg, yn 15 Rillington Place, North Kensington, W11.

Eric Oswald Knight

Mae mamladdiad a thadladdiad yn droseddau anarferol. Ond yng Nghwm Cennen, Sir Gaerfyrddin, yn 1952 cafwyd achos o'r ddau pan lofruddiodd dyn 28 oed ei dad a'i fam yn y dull mwyaf erchyll.

Yn 1946 fe symudodd Oswald ac Elizabeth Knight, y ddau yn 45 oed, o Gaerlŷr gyda'u dau fab, Alan ac Eric, i Fferm Llwynpiod ger pentref Trap yng nghysgod Castell Carreg Cennen. Flwyddyn yn gynharach fe gymerwyd Alan i ysbyty meddwl yn Lloegr, ond pan symudodd y teulu i Gwm Cennen, fe'i trosglwyddwyd i Ysbyty Dewi Sant, Caerfyrddin. Fe'i rhyddhawyd ymhen tri mis.

Dyn byr gyda gwallt brown tywyll tonnog oedd y mab arall, Eric Oswald. Rhwng 1942 a 1945 bu'n filwr yng nghatrawd y *Sherwood Foresters*. Fe'i clwyfwyd yn yr Eidal a chafodd profiadau'r rhyfel effaith andwyol ar ei feddwl. Serch hynny, teimlai'r Knights ei fod yn ddigon abl i ofalu am y fferm tra eu bod hwy'n brysur wrthi'n cadw gwesteion.

Pan ddarllenodd William Victor Bridgewater, cyfrifydd 30 oed o Swydd Nottingham, a'i wraig Doris Adeline, hysbyseb mewn papur dyddiol yn cynnig 'gwyliau cyffyrddus gyda bwyd da mewn ardal braf' dyma benderfynu treulio penwythnos yn Llwynpiod. Roedd wedi bwriadu mynd ar wyliau at ei fodryb yng Nghernyw, ond gan iddi gael ei tharo'n sâl newidiwyd y trefniadau ar y funud olaf. Cyrhaeddodd ef a'i wraig Lwynpiod tua phump o'r gloch brynhawn Sadwrn, 19 Gorffennaf 1952.

Ar ôl swper aeth y gwesteion i'r gwely, ond tua 1.00 y bore clywsant sŵn yn dod o'r ystafell wely nesaf, sŵn symud cyflym fel petai rhywrai'n ymgodymu, ac yna sŵn ochain neu chwyrnu. Ni feddyliodd y ddau lai na bod rhywun yn cael hunllef. Ond yna, clywsant glicied y drws yn codi a rhywun yn dod i mewn. Cododd William Bridgewater ar ei eistedd a holi pwy oedd yno. Heb yngan gair, cyneuodd yr ymwelydd fatsien, ac yn ei golau adnabu ef fel Eric Oswald Knight.

Nesaodd yr ymwelydd sinistr at y gwely. 'Mae hi'n noswaith neis, on'd yw hi?' meddai'n ddidaro. Ar hynny ymosododd ar Mr Bridgewater a'i daro ar ei ben â darn o fetel. Neidiodd yntau o'i wely, ac wedi ymgodymu am beth amser llwyddodd, gyda chymorth ei wraig, i dynnu'r arf o afael Knight. Ymdawelodd hwnnw ar unwaith ac ymddiheurodd i'r ddau gan ddweud iddo fod yn yfed seidr. Syfrdanwyd hwy gan ei eiriau nesaf. 'Mae'n well i mi nôl yr heddlu,' meddai. 'Rwyf wedi lladd fy rhieni yn yr ystafell nesaf.'

Dihangodd Mr a Mrs Bridgewater yn droednoeth yn eu dillad nos. Wrth groesi'r clos daeth Knight i'r golwg o'r cysgodion a'u hannog i neidio ar ei feic a mynd i nôl yr heddlu a'r meddyg. Ffodd y ddau am eu bywyd tua ffermdy cyfagos Garreg Lwyd. Galwyd yr heddlu, a phan gysylltwyd hefyd â Dr William Oldham, Llandeilo, aeth hwnnw am Lwynpiod gyda rifolfer yn ei feddiant. Ar y ffordd yno gwelodd y meddyg Knight yn y lôn ac arhosodd i siarad ag ef. Dywedodd hwnnw wrtho ei fod ar ei ffordd i ildio'i hun i'r heddlu. 'Pwy sy'n mynd i ofalu am y gwartheg nawr?' gofynnodd.

Canfu'r meddyg olygfa erchyll yn y ffermdy. Roedd y tad a'r fam wedi'u curo'n ddidrugaredd â darn metel trwchus dros bymtheg modfedd o hyd. Roedd anafiadau difrifol ar wynebau'r ddau a'u penglogau wedi'u chwalu. Roedd y waliau a'r gwely'n diferu gan waed. Eto i gyd roedd y tad yn dal i anadlu ond bu farw'n fuan wedyn. Roedd y fam yn farw gelain. Mor arswydus oedd yr olygfa fel y dywedodd y ditectif cyntaf i gyrraedd: 'Mae'n edrych fel petai'r diafol ei hun wedi bod yma'.

Pan arestiwyd Knight gan y Ditectif Glynne Jones, ymddangosai'n edifeiriol. Ei union eiriau oedd: 'Faswn i ddim yn niweidio fy nhad a'm mam am y byd. Roedd y ddau yn dda wrtho i'. Esboniodd fod ei ben wedi bod yn dost ers dros wythnos ar ôl gweithio'n galed ar y fferm. Ni wyddai beth ddaeth drosto. Cyfaddefodd iddo nôl darn o fetel o'r sgubor a phastynnu ei rieni cyn mynd i ystafell wely'r ymwelwyr ac ymosod arnynt hwy.

Agorodd y Crwner, Mr W. Lock Smith, y cwest brynhawn Llun, 21 Gorffennaf, ond gohiriwyd yr achos er mwyn i'r heddlu gael cyfle i gwblhau eu hymholiadau. Drannoeth, claddwyd Oswald ac Elizabeth Knight ym Mynwent y Plwyf, Llandeilo.

Safodd Eric Oswald Knight ei brawf ym Mrawdlys Caerfyrddin ddydd Gwener, 14 Tachwedd gerbron y Barnwr, Mr Ustus Peterson. Vincent Lloyd Jones C.F. oedd yn erlyn gyda Roderick Bowen C.F. yn amddiffyn. Roedd yn amlwg o'r dechrau y byddai'r Amddiffyniad yn pledio gwallgofrwydd. Tystiodd tad-cu'r diffynnydd, Edward William Knight, 73 oed, fod gwendid meddyliol yn gyffredin yn y teulu. Yn dilyn archwiliad yng Ngharchar Bryste dywedodd y Swyddog Meddygol, Dr N.R.P. Williams, fod Knight yn dioddef o *schizophrenia*, a'i fod yn *'certifiable as insane'*. Ategwyd hynny gan Dr Joseph Lloyd o

Garchar Abertawe, oedd o'r farn na wyddai Knight iddo wneud dim o'i le ar noson y llofruddiaeth.

Yn wyneb y fath dystiolaeth ddiwrthdro, cafwyd Knight yn euog o lofruddio'i fam, ond iddo wneud hynny yn ei wallgofrwydd. Yr adeg honno, fel yn achos Ronnie Harries, pe câi rhywun ei gyhuddo o lofruddio dau neu ragor o bobl, a'i gael yn euog o un llofruddiaeth, ni fyddai angen ei brofi'n euog o'r troseddau eraill. Felly, gadawyd y cyhuddiad o lofruddio'r tad ar y ffeil.

Gorchmynnwyd cadw Eric Oswald Knight mewn sefydliad *Borstal* am gyfnod amhenodol.

Eric Lange

Mae'n bosibl mai Eric Lange oedd y llofrudd cyntaf i'w ddal o ganlyniad i ddyfais newydd i gynorthwyo Heddlu Morgannwg, sef system deliffon breifat i gysylltu pob gorsaf heddlu â'i gilydd ymhob rhanbarth, cynllun a gychwynnwyd yn 1904.

Ar nos Sadwrn, 10 Medi y flwyddyn honno roedd Emlyn Jones, tafarnwr gwesty'r *Bridgend* ger gorsaf reilffordd Pentre, y Rhondda, a'i wraig Minnie wedi mynd i'w gwely. Rhwng 3.00 a 4.00 y bore clywodd Minnie sŵn rhywun yn cerdded yn yr ystafell. Yng ngolau lamp gwelodd wyneb dyn yn syllu arni rhwng barrau pres y gwely. Gollyngodd sgrech a thrawyd hi gan y dyn â bar haearn ar ei phen. Dihunodd ei gŵr a dechreuodd ymgodymu â'r ymosodwr. Ceisiodd Minnie ei helpu drwy gydio yn un o goesau'r ymosodwr a gweiddi drwy'r drws am gymorth. Symudodd y sgarmes allan i ben y grisiau.

Clywyd y twrw gan Jack Carpenter, y dyn seler, a Kate Richards, nith i Emlyn. Gwaeddodd Kate am help drwy'r ffenest ac aeth un o nifer o wagenwyr y tu allan at yr heddlu. Ar hynny dihangodd yr ymosodwr gan adael Emlyn yn hanner eistedd yn y gornel. Daeth barforwyn, Frances Morgan, i'r ystafell mewn pryd i glywed Emlyn yn galw 'O! Min a'r babi!', ynghyd â rhywbeth arall yn Gymraeg na ddeallai. Yn ffodus, nid anafwyd eu baban a oedd yn cysgu rhyngddynt na chwaith y ddwy ferch Kate Richards a Frances Morgan.

Erbyn i'r meddyg gyrraedd am 3.45 roedd Emlyn, oedd yn 36 oed, wedi marw. Gwelodd Dr Thomas ei fod wedi'i drywanu'n agos at ei galon a bod gwaedu mewnol wedi digwydd. Canfu'r heddlu far haearn wedi'i rwymo mewn papur brown ger y gwely yn ogystal â chap dyn a phâr o sgidiau brown ar waelod y grisiau. Yng nghefn yr adeilad roedd ysgol wedi'i gosod yn erbyn y wal o dan ffenest y tŷ bach. Roedd drôr arian y dafarn wedi'i agor ond roedd y tafarnwr wedi'i wacáu y noson cynt.

Cysylltwyd â'r gorsafoedd heddlu eraill dros y ffôn. Tua 4.30 gwelodd y Cwnstabliaid Woods a Williams ddyn yn cerdded ar hyd reilffordd Dyffryn Taf yn nhraed ei sanau ac yn bennoeth. Roedd olion gwaed ar ei foch dde, ysgythriad ar ei drwyn, a phennau gliniau ei drowsus wedi'u rhwygo. Ceisiodd y dyn esbonio ei fod ar ei ffordd i ddal llong oedd yn gadael o Gaerdydd. Wrth i'r ddau heddwas ei gymryd i'r ddalfa fe'i gwelwyd yn ceisio cydio mewn rhywbeth o dan ei got. Trawodd Woods ef â'i bastwn a gwelwyd bod cortyn am ei ganol a chyllell agored ynghlwm wrtho. Yn swyddfa'r heddlu ym Mhontypridd canfuwyd cyllell arall yn ei feddiant yn ogystal â phwrs yn cynnwys 15s., wats a chadwyn a dau facyn poced, un ohonynt yn sidan. Ar bensel yn ei boced roedd yr enw *A. Barrett and Co, Clevedon Terrace, Middlesbrough*. Cafwyd yr un enw a chyfeiriad y tu mewn i'r cap a adawyd ar ôl yn y dafarn.

Honnodd y dyn mai ei enw oedd Eric Lange, ei fod yn 30 oed ac yn forwr. Roedd yn olygus, gyda mwstás a gwallt golau a llygaid gleision. Mynnodd eto ei fod mewn brys i ddal llong yr *S.S. Patria*. Ond cafwyd nad oedd llong o'r enw *Patria* yn nociau Caerdydd.

Yn y cwest y tyst cyntaf oedd Minnie Jones a wisgai

ddillad galar. Roedd hi eisoes wedi gweld y diffynnydd mewn rheng adnabod ac wedi cadarnhau mai ef oedd yr ymosodwr. Amlinellwyd datganiad Lange wedi iddo gael ei gyhuddo. Roedd wedi cyfaddef torri i mewn i'r *Bridgend* ac ymosod ar Minnie ac Emlyn Jones, ond mynnai fod ffrind yno gydag ef, rhywun o'r enw Harry. Datgelwyd hefyd nad ar long y daethai Lange i Gymru ond drwy deithio ar hyd y ffyrdd a'r rheilffyrdd o Lerpwl. At hynny, clywyd bod y sgidiau a'r cap a ganfuwyd yn y dafarn yn ffitio Lange yn berffaith. Traddodwyd ef i sefyll ei brawf ym Mrawdlys Morgannwg.

Yn y cyfamser, fodd bynnag, daethpwyd i wybod nad Eric Lange oedd enw'r carcharor mewn gwirionedd. Cadarnhawyd mai Eugene Lorenz ydoedd, Rwsiad a gâi ei ystyried yn Norwyad. Roedd wedi treulio cyfnodau yn Tseina a'r Almaen ac wedi priodi â Gwyddeles, Annie Bridget Gallagher, yn Middlesbrough. Yn ddiweddarach, roedd wedi gweithio am gyfnod fel marciwr biliards yn y *Bridgend* i ragflaenydd Emlyn Jones.

Yn yr achos ar 28 Tachwedd ymddangosodd gerbron y Barnwr, Mr Ustus Bray, gyda W.D. Benson ac Ivor Bowen yn erlyn a Morgan Morgan yn amddiffyn. Ceisiodd Lange ddarbwyllo'r llys nad oedd yn ei iawn bwyll pan gyflawnodd y troseddau, a byddai'n beichio wylo yn awr ac yn y man. Daeth ei wraig gydag un o'i phlant i Abertawe i dystio dros ei gŵr.

Un tyst yn unig a ymddangosodd ar ran yr Amddiffyniad, sef gwraig Lange. Tystiodd dau feddyg carchar, Dr Biggs a Dr Howell Thomas, nad oedd Lange yn dioddef o unrhyw salwch meddwl a'i fod yn gyfrifol am ei weithredoedd. Ond dadleuodd Morgan Morgan fod methiant Lange i gael gwaith, ynghyd â thlodi, wedi'i yrru i gyflwr o iselder ysbryd a'i wneud yn anghyfrifol. Nid oedd wedi lladd yn faleisus, ac awgrymodd i Emlyn Jones syrthio ar y gyllell ac i'r farwolaeth ddigwydd yn ddamweiniol. Dynladdiad, felly, ddylai'r ddedfryd fod.

Ugain munud fu'r rheithgor yn cyd-drafod cyn cael Lange yn euog. Gwisgodd y Barnwr y capan du a diolchodd Lange iddo cyn sibrwd 'Amen'. Methiant fu'r apêl, a danfonodd Lange lythyr at Minnie Jones yn erfyn am faddeuant. Crogwyd ef yng Ngharchar Caerdydd ar 21 Rhagfyr. Cyn wynebu'r rhaff cafodd ddefnyddio un o ystafelloedd y wardeniaid a chofleidio'i wraig a'i blant am y tro olaf.

Dymuniad olaf Lange oedd i'w ddwylo gael eu clymu y tu blaen iddo yn hytrach na thu cefn. Gwrthodwyd ei gais. Cerddodd ddeuddeg cam o'i gell i'r crocbren. Pwysai 10 stôn 12 pwys a rhoddwyd cwymp iddo o saith troedfedd. Ei eiriau olaf, wedi'u hanelu at ei wraig, oedd 'Ffarwél fy nghariad, ffarwél'.

Ymgasglodd nifer o bobl y tu allan i'r carchar a gadawyd nifer o gardiau coffa yno. Canwyd yr emyn 'Yn y dyfroedd mawr a'r tonnau', ac ymhlith y dorf roedd morwyr Almaenig ac aelodau o Fudiad Diwygwyr Caerdydd. Yr oedd hi, wedi'r cyfan, yn 1904, blwyddyn Diwygiad Evan Roberts.

Y crogwr oedd William Billington, yn cael ei gynorthwyo gan Billington Iau a John Ellis. Hwn fyddai'r dienyddiad olaf iddo'i weinyddu ym Mhrydain.

Michael Dennis McCarthy

Dedfrydwyd Michael Dennis McCarthy i'w grogi yng Ngharchar Abertawe gefn wrth gefn â Ronnie Harries, un o lofruddion mwyaf drwgenwog Cymru. Ond arbedwyd ei fywyd gan bardwn hwyr, a bu farw yn hytrach o drawiad ar y galon mewn lôn gefn yn Llanelli.

Yn 1953 trigai McCarthy, 28 oed, ym Mhenyrallt, Trimsaran. Gwyddel ydoedd a weithiai fel adeiladwr dur yng Ngorsaf Bŵer Bae Caerfyrddin. Ei wendid mawr oedd y ddiod, ac o dan ei dylanwad gallai fynd i dymer ddrwg. Nos Wener, 4 Rhagfyr, gorffennodd McCarthy ei waith tua 5.00 ac aeth yn syth i dafarn y *Portobello* ym Mhorth Tywyn lle bu'n yfed tan oddeutu 10.00 cyn dal y bws adref.

Yr un noson tua 7.15, ar ôl cael bwyd a newid ei ddillad, aeth Sidney Rees, 48 oed, hefyd am beint i'r *Portobello*. Gŵr sengl ydoedd yn byw gyda'i ewythr a'i fodryb, David a Frances Williams yn y Pistyll Gwyn, Trimsaran. Cawsai ei fagu gan y pâr er pan oedd yn bedair oed. Bu'n löwr am flynyddoedd cyn iddo gael ei daro'n wael. Y tro nesaf i'w ewythr ei weld, am 3.30 y bore canlynol, roedd Sidney'n gelain ger Sgwâr Doncen, Trimsaran, gydag anafiadau difrifol i'w wyneb.

Canfuwyd y corff gan Owen John Thomas, Penyrheol Fach, Cydweli, glöwr yng Nglofa Carwe, yn gorwedd y tu allan i fyngalo yn Heol Waunyclun yn agos i gyffordd Heol y Doncen. Hyd yn oed yng ngolau ei fflachlamp, ni fedrai adnabod wyneb y trancedig gan gymaint y difrod. Roedd ei ben wedi'i hollti gan adael yr ymennydd yn y golwg.

Dangosodd yr archwiliad *post mortem* mai achos y farwolaeth oedd sioc o ganlyniad i anafiadau difrifol i'r wyneb, yr ymennydd a'r gwddf.

Roedd Mrs Ann Thomas, wrth gyrraedd ei chartref yn Laurel Cottage, Waunyclun, tua deg o'r gloch ar ôl bod allan yn Llanelli, wedi clywed yr ymosodiad. Clywodd ergydion 'fel rhywun yn torri coed tân, ond heb fod mor llym'.

Roedd Sidney Rees a McCarthy yn adnabod ei gilydd. Roedd y ddau wedi teithio i Drimsaran ar yr un bws ac wedi cerdded gyda'i gilydd i'r un cyfeiriad am ychydig, o'r *Bird in Hand* heibio i'r *Star* ac i fyny Heol Waunyclun, gan gyrraedd yno rhwng ugain a deng munud i un ar ddeg. Fel arfer byddai McCarthy, ar ei ffordd i Benyrallt, wedi dilyn llwybr troed a arweiniai tuag at Fynydd Trimsaran. Ond y noson honno fe'i gwelwyd yn dilyn Rees gan gerdded tua 80 llathen y tu ôl iddo.

Nos Wener, 4 Rhagfyr, oedd noson dawns yr heddlu yn y *Ritz* yn Llanelli. Roedd pennaeth y *CID*, y Ditectif Arolygydd Glynne Jones, yn mwynhau ei hun yno pan alwyd arno i ymchwilio i'r farwolaeth. Ni chafodd amser i newid ei ddillad ac aeth yno yn ei siwt ffurfiol a'i ddici-bô.

Wedi gweithio'n ddyfal drwy'r nos, fe aeth ef a'r Ditectif Ringyll Douglas Davies i Orsaf Bŵer Caerfyrddin i holi McCarthy. Gwadodd hwnnw iddo weld Rees nes iddynt ddod allan o'r bws gyda'i gilydd. Sylwodd Glynne Jones fod smotiau coch ar ei wregys, ond esboniodd McCarthy mai *red oxide* o'r gwaith oedd yn gyfrifol amdanynt. Dywedodd iddo adael ei got fawr adref ond gwyddai'r ddau heddwas, yn dilyn sgwrs â'i fam, iddo wisgo'r got i'r gwaith y bore hwnnw. Roedd Glynne Jones am agor locyr

McCarthy. Newidiodd hwnnw ei liw ar unwaith. Wedi'i gyffroi, gofynnodd am gael mwgyn a chyfaddefodd maes o law fod ei got yn y gwaith. Canfuwyd olion gwaed arni.

Yn ei ddatganiad i'r heddlu, hawliodd McCarthy fod Sidney Rees wedi dweud rhywbeth anweddus wrtho ac wedi gofyn iddo ddiosg ei ddillad. Ond celwydd oedd hyn i gyd, nid oedd Sidney Rees o'r natur yma o gwbl. Ei ymateb ef, meddai, fu taro'r 'bastard brwnt', yn gyntaf â'i ddyrnau ac yna taro'i ben yn erbyn y llawr. Cyfaddefodd ei fod yn feddw, a phetai wedi bod yn sobr byddai wedi cymryd y cyfan fel jôc. Tan iddo weld yr heddlu yno'r bore wedyn ni sylweddolai iddo ladd Rees.

Arestiwyd ef a'i gyhuddo o lofruddiaeth a thraddodwyd ef i sefyll ei brawf gan Ynadon Llanelli. William Lewis oedd yn erlyn a W. Edward Williams oedd yn cynrychioli McCarthy. Ym Mrawdlys Caerfyrddin, lle ymddangosodd Ronnie Harries hefyd, daeth McCarthy gerbron yr Ustus Havers gydag Edmund Davies C.F. yn erlyn ac Elwyn Jones C.F. yn amddiffyn – dau Gymro Cymraeg, y naill o Aberpennar a'r llall o Lanelli.

Gwnaed llawer o'r ffaith i McCarthy roi dwy stori wahanol am y digwyddiad. Ac am ei honiad ei fod yn feddw, fe'i hatgoffwyd iddo fod yn ddigon sobr i gofio gweld car du yn cael ei yrru'n wyllt ar hyd Heol Waunyclun!

Esboniodd y Barnwr nad oedd meddwdod, fel arfer, yn amddiffyniad digonol. Er hynny, gellid ystyried dau beth:

(i) A oedd gymaint o effaith y ddiod ar McCarthy nes i nwyd treisiol ei drechu a'i yrru i'r fath gyflwr fel na allai ffurfio bwriad arbennig yn ei feddwl?

(ii) A oedd wedi'i gythruddo i'r fath raddau a wnâi i ddyn cyffredin golli rheolaeth arno ef ei hun gan leihau'r drosedd i un o ddynladdiad?

Cafwyd ef yn euog o lofruddiaeth ac fe'i dedfrydwyd i'w grogi. Apeliodd yn erbyn y ddedfryd ond deddfwyd nad oedd meddwdod gwirfoddol, ynddo'i hun, yn esgus dros leihau cyhuddiad o lofruddiaeth i un o ddynladdiad. Pennwyd ef i gael ei grogi ar yr un diwrnod â Ronnie Harries. Bwriadwyd eu crogi gefn wrth gefn yng Ngharchar Abertawe am naw o'r gloch fore Mercher, 28 Ebrill 1954. Ond newidiwyd y gosb yn achos McCarthy i garchar am oes.

Ymhen y rhawg, rhyddhawyd ef a dychwelodd i fyw yn Llanelli. Ond un diwrnod dioddefodd drawiad ar y galon a chafwyd ef yn farw mewn lôn gefn yn Stryd Murray yn y dref.

Hugh McLaren

Gall yr anghytundeb mwyaf dibwys arwain at golli tymer. Ond prin i unrhyw ddadl fod mor ddibwys â honno a arweiniodd at lofruddio Julian Biros ac at grogi Hugh McLaren. Collodd y ddau eu bywyd dros baned o de.

Sbaenwr oedd Julian Biros a anwyd yn 1891, ac yn ifanc iawn rhoes ei fryd ar fynd i'r môr. Ac yntau'n 29 oed, hwyliodd ei long i mewn i Borthladd Caerdydd. Penderfynodd oedi yn y ddinas a chafodd waith achlysurol yn y dociau lle dibynnai'n aml ar gardod gan rai o'r morwyr. Cysgai'r nos yn stordy tanwydd y *Crown Patent Fuel Works* ger Doc y Rhath. Yno hefyd cysgai dynion eraill, yn eu plith John McGill o Riverside, Merthyr Tudful a Patrick McQuirk, dyn tân morwrol o Lerpwl. Ac yno y cysgodd y tri nos Sadwrn, 22 Mawrth 1913. Dihunodd McGill yn fore ac aeth i'w waith am 7.00 gan adael y ddau arall yn y stordy.

Un arall a gysgai weithiau yn y stordy oedd Hugh McLaren, dyn tân morwrol 29 oed. Roedd gwaed drwg rhyngddo ef a Biros. Yn wir, roedd McLaren yn casáu Sbaenwyr a chyfeiriai at Biros fel 'y Dago'. Yn gynnar ar y nos Sadwrn, gwelodd McLaren McGill yn Stryd Tŷ'r Tollau a dywedodd ei fod am 'dorri ysgyfaint' Biros. Ond doedd McGill ddim yn ymwybodol bod unrhyw ddadl rhwng y ddau ddyn.

Fore Sul aeth Biros a McQuirk allan o'r stordy i weld y llong ager *Dee* yn cyrraedd Doc y Rhath. Tua wyth o'r gloch ymunodd James Walsh â hwy. Yna cyrhaeddodd McLaren gan eu hatgoffa ei bod hi'n Ddydd Sul y Pasg. Awgrymodd y dylent wneud paned, a thynnodd becyn o de o'i boced. Ond mynnai Biros mai ef oedd biau'r te. Aeth McLaren i dymer ond daliodd Biros ei dir. Heb yngan gair, gafaelodd McLaren yng ngwddf y Sbaenwr â'i law chwith, ac â'i law dde tynnodd gyllell o'i boced a'i suddo i'w frest. Yn gwbl hunanfeddiannol, sychodd y gwaed o'r llafn, gosododd y gyllell yn ôl yn ei boced a cherddodd i ffwrdd. Ceisiodd Biros ei ymlid, ond syrthiodd i'r llawr. O'i weld yn codi, trodd McLaren a thaflodd garreg ato. Disgynnodd hwnnw am yr eildro a rhedodd McQuirk a Walsh i chwilio am blismon.

Gwelodd morwr croenddu o'r enw Alfonso Burke y digwyddiad o fwrdd y *Dee* a galwodd ar ei gyd-forwyr am help. Pan welodd McLaren ddynion yn dynesu o'r llong fe'i gwadnodd hi. Cyrhaeddodd dau o blismyn y porthladd, Archibald Picton a John Ashby, ynghyd â swyddog o Gymdeithas Ambiwlans Sant Ioan. Gwelwyd bod Biros wedi'i niweidio'n ddifrifol a'i ysgyfaint yn ymwthio drwy'r clwyf. Cludwyd ef i Ysbyty Brenhinol Hamadryad.

Aeth McQuirk yng nghwmni'r Cwnstabl Lewis i dŷ lojin yn Stryd Adam filltir i ffwrdd i chwilio am McLaren. Fe'i gwelwyd y tu allan ac fe'i harestiwyd ar gyhuddiad o achosi niwed difrifol. Wrth ei archwilio fe ganfuwyd y gyllell, ag olion gwaed arni, yn ei boced.

Synhwyrwyd bod Biros ar fin marw, ac aeth y Ditectif Brif Arolygydd Harries, pennaeth y *CID*, â McLaren at erchwyn gwely'r Sbaenwr a chymryd yr hyn a elwid yn *'dying declaration'* ym mhresenoldeb yr ymosodwr. Ond aeth Biros yn anymwybodol ac am 2.15 y prynhawn, bu farw.

Dangosodd yr archwiliad *post mortem* gan Dr Joseph Henry Whelan fod toriad o fodfedd a hanner o dan y bedwaredd asen lle'r oedd yr arf wedi trywanu'r galon.

Pan gyhuddwyd McLaren o lofruddiaeth, cafwyd ymateb rhyfedd ganddo. Mynnai iddo ladd dwsin o'r 'Dagos' a bod ei dad yn ddienyddiwr yn America. Yna, wedi iddo gael ei gloi mewn cell, gwaeddodd ar y Ditectif Harries: 'Harries, nid y gyllell a'i lladdodd, y *chloroform* gafodd e lawr fan'na wnaeth hynny. Fe gerddodd yno ei hunan'.

Gerbron yr Ustus Coleridge ym Mrawdlys Morgannwg yn Abertawe ddydd Gwener, 18 Gorffennaf, plediodd McLaren yn ddieuog. Yn erlyn roedd Ivor Bowen C.B. a Clem Edwards A.S. Ernest Evans oedd yn amddiffyn. Mynnai hwnnw i McLaren ladd Biros yng ngwres y foment heb unrhyw fwriad i roi terfyn ar ei fywyd. Ond mynnodd y Barnwr y byddai derbyn hynny yn golygu y byddai dyn o natur wyllt bob amser yn medru esgusodi ei hun am y fath weithred. Ni alwyd ar McLaren i dystio. Ar ôl deng munud yn unig, cafodd y rheithgor ef yn euog. Dedfrydwyd ef i'w grogi.

Digwyddodd hynny yng Ngharchar Caerdydd fore Iau, 14 Awst 1913. Dywedwyd i McLaren gysgu'n braf hyd saith o'r gloch a bwyta llond bol o gig moch ac ŵy cyn mynd i'r crocbren. Lle bychan iawn oedd y tŷ dienyddio, rhyw ddeuddeg troedfedd sgwâr, adeilad o frics gyda llechi ar y to a'r muriau wedi'u gwyngalchu. Chwe cham yn unig fu'n rhaid iddo gerdded o'i gell at y rhaff. Y crogwr oedd Ellis, gyda Willis yn cynorthwyo. Yn bresennol hefyd roedd y Tad Van der Heuvel, Rheolwr y Carchar, Jno. Stafford Finn a John Wallace, y Dirprwy Swyddog Meddygol. Tra oedd yn sefyll yno â'r rhaff am ei wddf, geiriau olaf McLaren oedd: 'Fe allwch fy nghrogi, ond fedrwch chi byth wneud i mi lefain'. Agorodd y drws trap mor sydyn oddi tano fel mai sŵn un ergyd yn unig a glywyd.

Roedd hi'n fore braf a'r haul yn tywynnu ar furiau llwyd y carchar. Nododd un o newyddiadurwyr y *Western Mail*: 'Nid bore i farw yw hwn, ond bore i fyw'.

A bore i fwynhau paned o de.

James Nash

Gwerth bywyd Martha Ann Nash, chwech oed, oedd £1. 16s. 2d. Oherwydd na fedrai ei thad dalu'r ddyled honno am ei chadw, fe'i boddodd ger Pier Dwyreiniol Abertawe.

Yn 1885 gweithiai James Nash, 39 oed, fel labrwr i Fwrdeistref Abertawe. Yn ŵr gweddw a chanddo ddwy ferch, trigai yn Stryd Greyhound yn y dref. Bu farw ei wraig pan oedd y ferch hynaf, Sarah, yn ddeuddeg oed a'r llall, Martha Ann, yn flwydd oed. Disgrifiwyd Nash fel 'dyn o bryd tywyll gyda gwallt brown tywyll a llygaid gleision, pum troedfedd a saith modfedd o daldra, yn Gymro o ran cenedl ac o addysg amherffaith'.

Wedi marwolaeth ei wraig, symudodd Nash a'r plant i letya at Mrs Eliza Goodwin ym Mhlas-marl. Ddydd Llun, 16 Tachwedd 1885, gadawodd Nash y tŷ am saith o'r gloch y bore. Ni ddychwelodd hyd drannoeth i gasglu rhan o'i eiddo tra oedd Mrs Goodwin allan. Galwodd eto ar y nos Wener i gasglu mwy o'i eiddo a gofynnodd a gâi gysgu yno. Gwrthododd y wraig a gofynnodd pryd roedd yn bwriadu mynd â'i blant gydag ef, gan iddi glywed iddo briodi'r diwrnod hwnnw. Addawodd yntau gyrchu'r plant ymhen ychydig ddyddiau.

Ychydig dros wythnos yn ddiweddarach, gwelodd Mrs Goodwin ef yn mynd heibio i'w chartref mewn cert. Gofynnodd iddo fynd â'i blant oddi ar ei dwylo gan nad oedd wedi talu am eu llety, ac oni wnâi hynny byddai'n eu trosglwyddo i ofal yr *Union*. Addawodd ddychwelyd i'w nôl y noson honno, ond ni wnaeth.

Fel y tybiai Mrs Goodwin, roedd Nash newydd briodi ond heb sôn wrth ei wraig newydd fod ganddo blant. Roedd Sarah, yr hynaf, yn gweithio'n rhan amser ac yn medru cynnal ei hun i ryw raddau, ond roedd arno ddyled i'r lletywraig o £1. 16s. 2d am gadw'r ferch fach. Diwedd y gân fu i Mrs Goodwin fynd â Martha Ann gyda hi i Neuadd y Dref i ddisgwyl am Nash ddydd Gwener, 4 Rhagfyr – y diwrnod y câi Nash ei dalu – a dweud wrtho am setlo'r ddyled neu fynd â'r ferch gydag ef. Aeth â Martha i ffwrdd gydag ef gan addo talu'r ddyled drannoeth.

Ychydig yn ddiweddarach roedd dau o weithwyr porthladd Abertawe, Thomas Fender a William Owen, ar y traeth ger Neuadd y Dref. Roedd hi'n dywyll ac yn stormus a synnwyd y ddau o weld dyn yn cerdded yng nghwmni merch fach ar yr estyniad i'r Pier Dwyreiniol. Synnwyd hwy fwyfwy o weld y dyn yn dychwelyd ar ei ben ei hun. Pan welodd ef y gweithwyr, neidiodd y dyn o'r pier i'r traeth ond fe'i daliwyd ganddynt.

Cafwyd mwy nag un esboniad ganddo am ei ymddygiad, ond mynnai yn y diwedd iddo osod y ferch i eistedd ar reilen gyda'r bwriad o'i gosod ar ei gefn. Ond, mewn amrantiad, chwythodd y gwynt hi i'r môr. Codwyd amheuon y dynion ar unwaith am fod y gwynt yn chwythu tua'r pier o'r môr.

Galwyd ar yr heddlu a datgelodd Nash ei enw wrth y Cwnstabl D.J. Davies. Chwiliwyd am y ferch fach a chanfuwyd ei chorff awr yn ddiweddarach ar y traeth. Yn yr archwiliad *post mortem* methodd Dr Howell Thomas â chanfod yr un clais arni, heb sôn am arwyddion o drais mwy eithafol. Awgrymai hyn na fu iddi daro yn erbyn dim wrth ddisgyn a chasglwyd, felly, iddi gael ei thaflu i'r môr. 'Boddi' oedd achos y farwolaeth. Agorwyd a gohiriwyd cwest drannoeth yn neuadd biliards y Vivian Arms. Y dydd Llun canlynol, dedfryd y rheithgor oedd i'r ferch gael ei llofruddio gan ei thad. Ddydd Mawrth, 18 Rhagfyr, traddodwyd Nash i sefyll ei brawf ym Mrawdlys Morgannwg.

Trefnwyd angladd tlotyn i'r ferch fach, ond mynnodd y cymdogion gasglu arian i dalu costau'r claddu. Ac o gartref cymydog y cododd yr angladd nos Iau, 10 Rhagfyr. Yn y tŷ canwyd 'Diogel ym mreichiau'r Iesu' ac arweiniwyd yr orymdaith gan y Band of Hope o Eglwys Saesneg y Bedyddwyr, lle'r oedd Martha Ann yn aelod. Fe'i claddwyd ym medd ei mam ym mynwent eglwys Llangyfelach gyda'r Parchedig Worthington yn gwasanaethu. Yr unig berthynas yn bresennol oedd ei chwaer Sarah. Yr emyn a ganwyd ar lan y bedd oedd *It is well with my soul*.

Safodd Nash ei brawf gerbron yr Arglwydd Brif Ustus Coleridge ym Mrawdlys Caerdydd a phlediodd yn ddieuog. Arthur Lewis a Mr Benson oedd yn erlyn, wedi'u cyfarwyddo gan Mri Smith, Lawrence a Smith, Abertawe. Yn cynrychioli Nash roedd Mr Glascodine, wedi'i gyfarwyddo gan T. Brown Richards, Abertawe. Cadarnhawyd mai boddi oedd achos marwolaeth Martha Ann, a chafwyd yr un dystiolaeth ag a glywyd yn y cwest. Daliodd Nash i honni mai drwy ddamwain y bu farw ei ferch. Mynnwyd y dylid o leiaf leihau'r cyhuddiad i un o ddynladdiad. Ond tynnodd y Barnwr sylw'r rheithgor at ddiffyg emosiwn Nash wedi'r farwolaeth. Ar ôl chwarter awr o drafod fe'i cafwyd yn euog o lofruddiaeth. Gwadodd hynny unwaith eto, a chludwyd ef yn ôl i Garchar Abertawe. Bu'n rhaid mynd ag ef oddi ar y trên yng Nglandŵr rhag ofn y byddai torf danllyd yn ei ddisgwyl ar ben y daith.

Trefnwyd deiseb yn galw am drugaredd gan yr Ysgrifennydd Cartref, ac fe'i harwyddwyd gan nifer o aelodau capeli ac eglwysi'r dref. Ond atebodd hwnnw drwy law Godfrey Lushington na welai unrhyw achos dros ymyrryd â chwrs y gyfraith. Aeth Sarah i ymweld â'i thad yng nghell y condemniedig, ond cadw draw wnaeth ei wraig newydd.

Fore Dydd Gŵyl Dewi, 1898, daeth torf o oddeutu 4,000 ynghyd y tu allan i Garchar Abertawe i fod yn dystion i ddienyddiad Thomas Nash. Roedd pedair modfedd o eira wedi disgyn dros nos a bu'n rhaid ei glirio oddi ar y cledrau cyn i drên cyntaf y Mwmbwls gychwyn. Cadwodd y Caplan, y Parchedig Hudson, gwmni i Nash hyd y diwedd. Am 7.45 canodd cloch y carchar ac ychydig cyn 8.00 aeth y dienyddiwr, James Berry, i'w gell. Clymwyd gwregys llydan am ei frest gyda'i freichiau'n dynn o'i fewn.

Wrth iddo gael ei arwain tua'r crocbren sibrydodd Nash: 'Arglwydd, trugarha wrth fy enaid'. Gollyngwyd y drws trap a disgynnodd i gwymp o chwe throedfedd. Yn ôl y meddyg, bu'n farwolaeth ddisyfyd. Codwyd y faner ddu a chlywyd y dorf y tu allan yn cymeradwyo.

Ond cyn wynebu'r rhaff gwnaeth Thomas Nash y cyfaddefiad hwn a gadarnhaodd iddo fwriadu lladd ei ferch:

Es i â hi i ddechrau i lawr i'r traeth, ond achos bod y llanw'n arw iawn methais fynd yn ddigon agos at y dŵr dwfn i'w thaflu i mewn. Yna daeth pen y pier i'm meddwl ac mi es i â hi lawr fan'na. Tua'r bedwaredd neu'r bumed sedd ceisiais i ei thaflu hi i'r dŵr dair gwaith, ac ar y trydydd tro dywedodd yr hen ddiafol: 'Tafla hi drosodd a bydd popeth yn iawn'. Gwnes i hynny, ac yna sefais yn ôl ychydig ac edrych lawr dros y rheilen a dechreuais i wneud fy ffordd i ddianc oddi yno, ond nid felly y bu. Y rheswm i fi gyflawni'r drosedd yma oedd fy mod i heb ddweud wrth fy ngwraig bod plant gen i. Pe byddai rhywun wedi gofyn ble'r oedd Martha Ann buaswn wedi dweud wrthyn nhw ei bod hi wedi cael ei danfon i Gaerfyrddin am ychydig o newid.

John Frederick Perry

Pan adawodd Arminda Ventura ei chartref tlawd ar Ynysoedd y Philipinos, meddyliodd y byddai'n cychwyn ar fywyd gwell. Ond fe'i tynghedwyd i gael ei llofruddio a'i darnio yn y modd mwyaf erchyll.

Ganwyd Arminda ar 4 Gorffennaf 1963, ac roedd yn un o ddeuddeg o blant. Roedd ei rhieni'n berchen ar syrcas symudol, ac oherwydd natur eu gwaith a maint y teulu fe godwyd Arminda gan ei mam-gu nes ei bod hi'n naw oed. Yna, dychwelodd at ei rhieni pan gawsant gartref sefydlog yn ninas Davao.

Yn 19 oed cafodd Arminda ei hun yn feichiog yn dilyn perthynas â myfyriwr, ac ar 2 Tachwedd 1982 ganwyd iddi ferch, Annabelle Lee Ventura. Yn y cyfamser, roedd y tad wedi ffoi i'r Unol Daleithiau.

Gadawai Arminda'r ferch fach yng ngofal ei chwaer pan âi allan i weithio fel dawnswraig ddiwylliannol, disgrifiad crand o ddawnsio *go-go*, mewn bar yn Emita. Ond putain oedd hi mewn gwirionedd. Ym mis Mehefin, tra oedd yn gweithio yn y bar, cyfarfu â John Frederick Perry, Sais oedd ar ei wyliau ar yr ynysoedd.

Yn enedigol o Woolwich, Llundain, roedd Perry wedi bod yn y Lluoedd Arfog ond cawsai ei ryddhau ar sail afiechyd. Priododd yn 1962, ond mynnodd ei wraig ysgariad ar sail creulondeb corfforol lai na saith mlynedd yn ddiweddarach. Priododd eilwaith yn 1973, ond chwalodd y briodas honno hefyd am yr un rheswm. Bu'n gweithio i gwmni yn Bournemouth ac yna yn Oman yn y Dwyrain Canol cyn iddo gael ei ddiswyddo am ymosod ar ddyn arall a'i niweidio'n ddifrifol. Daeth yn ôl i Brydain a chael swydd fel peiriannydd awyrennau yn Llai ger Wrecsam.

Daeth Perry ac Arminda yn gymaint o ffrindiau fel y dilynodd hi a'i merch fach ef i Gymru fis Chwefror, 1985, gan aros yn ei gartref yn 4 Rhodfa'r Myrtwydd, Higher Kinnerton. Penderfynodd Arminda yr hoffai aros yn barhaol, ac ar ei hail ymweliad, priodwyd hi a Perry ym Mhenarlâg. Roedd ef yn 45 a hithau'n 21.

Ar y dechrau roedd bywyd Arminda'n un hapus. Cadwai mewn cysylltiad ag Angelina, ei chwaer, a oedd yn byw yn y Swistir. Ond o fewn blwyddyn, roedd y briodas wedi suro. Dechreuodd ef edliw iddi ei phuteindra cynnar a dechreuodd ei cham-drin yn gorfforol. Tystiai cymdogion i gweryla rhwng y ddau yn rheolaidd. Aeth Arminda at y Gwasanaethau Cymdeithasol a threfnwyd iddi hi a'r ferch symud allan.

Erbyn diwedd 1990 roedd Arminda wedi rhoi ei bryd ar ysgaru Perry a chytunodd yntau i dalu £7,000 iddi. Ond mynnai hi £15,000. Yn ystod cyfnod yr ymrafael hwn cafodd Perry sgwrs ag un o'i gydweithwyr, Stephen Dombrowski, a arferai fod yn gigydd. Gofynnodd iddo sut oedd torri carcas a chafodd gynghorion manwl ganddo. Wrth iddynt sgwrsio, digwyddodd Dombrowski sôn bod y cnawd dynol yn blasu fel porc.

Dechreuodd Arminda ar berthynas gyda dyn sengl o'r enw Barry Burns a oedd yn byw yn yr un pentref. Gymaint fu ei hymlyniad wrth Burns fel y gwrthodai adael ei gartref a bu'n rhaid iddo gael cymorth yr heddlu i'w chael hi allan o'i dŷ. Ar ôl clywed am y berthynas, ymosododd Perry ar

Burns nos Sul, 24 Chwefror. Y noson honno galwodd dau heddwas yng nghartref Perry a chael Arminda yno.

Dridiau'n ddiweddarach dechreuodd un o weithwyr cymdeithasol y sir, Jessie Eager, bryderu am nad oedd wedi gweld Arminda ers tro. Cysylltodd â'r heddlu ac aethant hwy i holi Perry. Hawliodd ef i'w wraig fynd i Lundain a bod y ferch fach yn aros gyda ffrindiau nes bod ei mam yn dychwelyd. Ond wedi i gymydog fynegi pryderon hefyd, holwyd Perry eto yn ei gartref gan yr Arolygydd Ross Dutfield a'r Rhingyll Derek Frost. Wrth i'r ddau ddatgan eu bod am archwilio'r tŷ, anesmwythodd Perry. Ond cyfaddefodd, ar ôl gwneud galwad ffôn, iddo ladd Arminda. Aeth â'r swyddogion i'r gegin a chyfeiriodd at ddau fag plastig. 'Mae darnau ohoni fan hyn,' meddai. Yna fe'u harweiniodd i'r garej lle'r oedd mwy o fagiau plastig yn llawn darnau o gorff ei wraig a bwced yn llawn perfeddion. Roedd bagiau llawn hefyd yn ei gar y tu allan i'r tŷ. Dywedodd iddo fwydo rhai darnau i'r gath, ar ôl eu coginio. Yn ei boced roedd set rannol o ddannedd gosod.

Pan osododd y patholegydd yr holl ddarnau at ei gilydd yn Ysbyty Gwynedd profwyd, trwy dystiolaeth ddeintyddol gan mwyaf, mai corff Arminda oedd y gweddillion. Doedd dim modd canfod achos y farwolaeth. Cafwyd cyfaddefiad llawn gan Perry. Roedd wedi llofruddio'i wraig ar y nos Sul, ac wedi cuddio'r corff wrth ymyl yr A5 ar ffordd osgoi Croesoswallt cyn ei ailgludo i'r tŷ i'w ddarnio. Roedd wedi defnyddio cyllell, dril a llif.

Yn Llys y Goron, Yr Wyddgrug, fis Tachwedd 1991, ymddangosodd Perry gerbron y Barnwr Mr Ustus Scott Baker, gydag Alex Carlisle C.F. yn erlyn a John Rogers C.F. yn amddiffyn. Mynnai Perry mai yn ddamweiniol y lladdodd ei wraig wrth iddi afael mewn cyllell a cheisio'i lladd ei hun. Ar ôl pum awr o drafod, fe'i cafwyd yn euog gan y rheithgor gyda mwyafrif o ddeg i ddau.

Anfonwyd John Frederick Perry i garchar am oes.

Llofruddiaeth Maria Peyre

Fe arweiniodd y Rhyfel Byd Cyntaf at ddiwreiddio miliynau o bobol, gan eu gwasgaru i bedwar ban byd a'u gadael yma ac acw fel broc môr. Un o'r crwydriaid hyn oedd Maria Peyre, a gafodd ei hun mewn cartref un ystafell yn 3 The Strand, Abertawe. Gweithiai fel putain a châi ei hadnabod fel Mary Lennon neu Mary Argyle. Doedd neb yn siŵr iawn o'i hoedran, ond yn 1928 credid ei bod hi tua 50 oed er ei bod hi'n edrych lawer yn iau.

Yn gynnar fore Sadwrn, 29 Medi, y flwyddyn honno roedd David George Ashman o Res Bargeman yn gweithio yn Noc y Gogledd pan welodd gorff menyw yn gorwedd ar ei chefn mewn man tywyll y tu ôl i domen lo. Galwodd yr heddlu, a phan gyrhaeddodd y Cwnstabl Brinley Thomas gwelodd fod anafiadau difrifol i wyneb y fenyw. Yna, cyrhaeddodd y Ditectif Arolygydd F.W. Gubb, a chanfu hwnnw ddarn o label potel gwrw wedi glynu wrth y gwaed ar ei hwyneb. O dan ei phen gorweddai darn arall, ac o'u rhoi at ei gilydd gwelwyd mai label *Truman's No 6 Ale* ydoedd.

Roedd oferôls a chot law am y corff a rhyngddynt roedd pwrs cywrain wedi'i wnïo a pheth arian ar wasgar, cyfanswm o 3s 9d. Ar wal y cei, naw modfedd o ymyl y dŵr, gwelwyd darnau gwydr o botel fflagon. Ymddangosai, felly, mai'r botel oedd yr arf a ddefnyddiwyd ar gyfer y llofruddiaeth. Yn ddiweddarach, adnabuwyd y corff fel un Maria Peyre. Cafwyd yn y *post mortem*, yn ôl Dr Trevor Evans, mai achos y farwolaeth oedd sioc yn dilyn anafiadau difrifol i'r pen. Roedd Maria hefyd wedi'i threisio cyn ei llofruddio.

Cafwyd gwybodaeth gan Mary Griffiths, neu Mary Cwmbwrla, iddi weld Maria ym mar bach tafarn y *Rum and Puncheon* yn Stryd Orange y noson cynt. Dywedodd i Maria adael tua wyth o'r gloch yng nghwmni dyn ond iddi ddychwelyd ar ei phen ei hun am 9.30 i'r *Fishguard Arms*. Roedd dyn o'r enw John Riley wedi'i weld ym mar y dynion yno, ond pan adawodd Mary Cwmbwrla roedd hwnnw wedi symud i'r bar bach at Maria. Roedd y ddau wedi bod gyda'i gilydd yn gynharach y prynhawn hwnnw yn y *Kings Arms* ac yn y *Three Crowns* wedi i Riley godi 17 swllt o'r Swyddfa Gyflogi. Roedd wedi rhoi pedwar swllt i Maria.

Tystiodd John Owen Harries, mab y *Rum and Puncheon*, iddynt dderbyn cyflenwad o dri dwsin o boteli fflagon *Truman's No 6 Ale* ar 21 Medi. Dywedodd fod y label a gafwyd ar gorff Maria yn perthyn i'r un cyflenwad. Cofiai barforwyn y dafarn, Gladys Joseph, i John Riley brynu potel fflagon o'r cwrw hwnnw wrth adael ar y noson dan sylw. Roedd Gladys wedi lapio'r fflagon mewn papur dyddiol Llundeinig a gadawodd John a Maria gyda'i gilydd.

Yn ôl tyst arall, Sarah Ann Yeats, bu Riley a Maria yn cweryla y tu allan i'r dafarn. Cynigiodd Sarah iddi ddod adref gyda hi, ond cafodd bryd o dafod am ei thrafferth cyn i'r ddau gerdded i ffwrdd fraich ym mraich.

Gwyddel digartref oedd Riley, ond roedd wedi trefnu gwely y prynhawn hwnnw yn y *Vaughan Lodging House* yn y Strand, yn ôl tystiolaeth John Bath. Aethpwyd i chwilio amdano, ac yn hwyr ar brynhawn Sadwrn fe'i gwelwyd yn eistedd mewn bws oedd ar stop yng Ngorseinon. Arestiwyd ef a'i gludo i Orsaf Heddlu Abertawe. Cadarnhaodd yr hyn a ddywedodd y gwahanol dystion, ond ychwanegodd hefyd i ddyn ddod ato y tu allan i dafarn y *Cardiff Arms* a'i daro a mynd â Maria i ffwrdd gydag ef. Pan ddangoswyd llun o Maria iddo ym mhapur dyddiol y *Daily Post*, cadarnhaodd ei fod yn ei hadnabod fel Mary Argyle.

Honnodd Riley na fu iddo gysgu yn y *Vaughan Lodging House*. Gan ei bod yn hwyr, credai y byddai'r lle wedi cau, a cherddodd i Gwmbwrla lle cysgodd mewn sièd yng ngardd ffrind iddo, William Kelly. Cadarnhaodd Kelly i Riley alw tua 11.00 i ofyn am le i gysgu gan ddweud iddo fod mewn trafferth gyda rhywun a'i galwodd yn 'fastard o Wyddel'.

Galwyd ar Scotland Yard a daeth y Ditectif Brif Arolygydd Collins i Abertawe i gymryd yr awenau. Sylwodd hwnnw fod olion gwaed ar ddillad Riley ac fe'i cyhuddwyd o lofruddio Maria Peyre. Ymddangosodd gerbron yr Ustus Branson ym Mrawdlys Morgannwg yn Abertawe rywbryd fis Tachwedd. Artemus Jones oedd yn erlyn, y Cymro a wnaeth amddiffyn Syr Roger Casement fel Cwnsler Iau i A.M. Sullivan yn 1916. Cafwyd Casement yn euog o uchel frad a chafodd ei ddienyddio. Jenkin Jones oedd yn amddiffyn Riley. Plediodd hwnnw'n ddieuog.

Tra oedd yn y carchar, archwiliwyd Riley gan feddygon a chytunodd Dr Trevor Evans â barn Swyddog Meddygol Carchar Caerdydd, Dr Giles, mai meddwl plentyn naw oed oedd gan Riley. Penderfynodd ei dwrnai, Jenkin Jones, ei gynghori i beidio ag ymddangos yn y bocs tystio gan na fyddai'n debygol o fedru gwrthsefyll y croesholi. Clywyd hefyd fod llid ar falfiau calon Riley a'i fod yn dioddef o ddiffyg anadl.

Clywyd gan arbenigwr fforensig fod dull o wahaniaethu rhwng gwaed dynol a gwaed anifail wedi'i ddarganfod yn 1908. Roedd Dr Gerald Roche Lynch, Dadansoddwr Uwch yn y Swyddfa Gartref a Chyfarwyddwr Clefydeg Fferyllol yn Ysbyty'r Santes Fair, Llundain, o'r farn mai gwaed dynol oedd ar ddillad Riley. Ond amhosib fyddai dweud ai gwaed Riley ynteu gwaed Maria Peyre oedd arnynt. Tystiodd chwaer Riley, Mary Ellen Parsons, i'w brawd dderbyn anaf i'w ben fis Ebrill neu fis Mai y flwyddyn honno ac iddi weld gwaed ar rwymyn ar ei ben ac ar ei ddillad. Ategodd Dr Cellan Jones fod craith uwchben llygad John Riley, a honno'n mynd yn ôl tua chwe mis. At hynny, dadleuodd Jenkin Jones y byddai wedi bod yn amhosib i Riley dreisio Maria gan ei fod yn rhywiol ddiffrwyth.

Yn wyneb y dystiolaeth hon, methodd y rheithgor â chytuno ar ddedfryd a gorchmynnwyd ailgynnal yr achos o flaen rheithgor newydd. Yn y cyfamser, fodd bynnag, daethpwyd o hyd i dyst newydd, Patrick Troy o 26 Greenhill Street, Abertawe, oedd wedi gweld Mary Argyle yng nghwmni dyn ger y Strand tua 11.15 ar noson y llofruddiaeth. Roedd pen y dyn yn pwyso ar ei hysgwydd. Gan fod Riley wedi ei weld am 11.00 mewn sièd yng Nghwmbwrla, roedd hi'n amlwg nad ef oedd y dyn yn y Strand. Fe amserodd y Ditectif Arolygydd Gubb y daith o Gwmbwrla i'r Strand ac fe gymerodd bum munud ar hugain i'w chwblhau. Ni allai Riley fod wedi cael ei weld yn y ddau le o fewn yr amser dan sylw.

Y canlyniad fu i'r rheithgor gael John Riley yn ddieuog o lofruddio Maria Peyre a rhyddhawyd ef ar ddiwrnod olaf Tachwedd 1928.

John Price

Yn 1885 doedd yr un llofruddiaeth wedi digwydd yn Aberystwyth ers canrif. Fe gymerodd gweryl rhwng gŵr a gwraig i newid pethau.

Labrwr oedd John Price a anwyd yn York Hill, Henffordd, yn 1852. Ond yn 1878 ymunodd â'r *Royal Cardiganshire Militia* ac yn ddiweddarach bu'n filwr rhan amser yn y 5th *Battalion Artillery Militia*. Fe'i dyrchafwyd yn Rhingyll a deuai o Gasnewydd i Aberystwyth weithiau i ymarfer. Yno y cyfarfu â'i ddarpar wraig, Mary Ann.

Ganwyd plentyn iddynt cyn y briodas, ac ar ôl byw am gyfnod gyda mam Mary Ann mewn bwthyn ar yr ochr uchaf i dŷ'r tollborth ar Heol Penglais symudodd y ddau i 4 Rhes y Poplys gerllaw gan fyw a chysgu mewn un ystafell uwchben perchennog y tŷ, Mary Davies.

Yn ystod y pedwar mis y buont yno, bu cweryla mawr rhyngddynt. Taerai ef mai ei fam-yng-nghyfraith oedd wrth wraidd pob cweryl. Dydd Iau, 28 Mai 1885, oedd y diwrnod olaf i Price ymarfer yn Aberystwyth a bwriadai ddal y trên yn ôl i Gasnewydd y bore wedyn gyda'i wraig a'i blentyn. Ond pan wawriodd drannoeth, aros yn ei wely a wnaeth. Arweiniodd hyn at gweryl a ddenodd y cymdogion i ymgasglu tu allan i wrando.

Maes o law, gostegodd y storm ac aeth y ddau i'r dref gyda'i gilydd cyn dychwelyd am 1.00. Treuliodd Price weddill y diwrnod yn yfed – yn y *New Inn* ar ôl cyfarfod â chyn-gydfilwr, ac yna yn y *Coopers Arms*, sy'n adnabyddus heddiw fel Y Cŵps – gan ddrachtio cyfanswm o wyth gwydraid o gwrw. Rhwng yr ymweliadau hyn bu mwy o gweryla rhyngddo ef a'i wraig, gyda Mary Ann yn gwrthod gwneud swper iddo ac yn bygwth na wnâi hi a'r plentyn ddychwelyd gydag ef i Gasnewydd. Cythruddwyd Price gan hyn a bygythiodd chwalu'r tŷ.

Y noson honno bu cweryl arall a bu'n rhaid galw'r heddlu. Cyrhaeddodd James Lewis P.C. 20 a chael bod Mary'n dal i fynnu symud yn ôl at ei mam. Perswadiwyd yr heddwas mai cweryl cyffredin arall rhwng gŵr a gwraig oedd hwn, ac ar ôl cynnig gair o gyngor, fe'u gadawodd. Ond, yn hwyrach, fe'i galwyd yn ôl. Canfu Mary Ann ar y llawr isaf yng nghwmni Mary Davies a Martha Salisbury. Llwyddwyd yn y diwedd i berswadio Price i ganiatáu i'w wraig bacio'i dillad. Cwynodd Price wrth yr heddwas i'w wraig ei enllibio gan ei ddisgrifio, ymhlith pethau eraill, fel trempyn.

Roedd y dorf y tu allan o blaid Mary Ann, ac wedi iddynt wasgaru, gadawodd yr heddwas gan adael Mary Ann yn y gegin gyda Mary Davies a dwy wraig arall. Yn sydyn, dyma John Price yn cerdded i mewn o'r llofft yn cario rifolfer. Saethodd deirgwaith at ei wraig a disgynnodd honno i'r llawr.

Rhedodd nifer o gymdogion tua'r fan a chafwyd bod Mary Ann yn farw. Roedd un cymydog, James Jenkins, wedi clywed tair ergyd yn dod o'r tŷ. Yna gwelsai Price yn dod allan a thanio ergyd i'w wddf ei hun gan ddweud '*dead*' cyn taflu'r gwn i ffwrdd. Gafaelodd Jenkins yn yr arf a chyfaddefodd Price iddo saethu ei wraig. Aeth dau gymydog ag ef i swyddfa'r heddlu, ond yn Heol y Gogledd daethant ar draws y Cwnstabl Evans a'i hebryngodd i'r ddalfa.

Yn ôl yn y tŷ, canfu Dr Rice Williams dwll bwled dan lygad dde Mary Ann, ac un arall yn ei chefn yn llafn ei hysgwydd dde. Pan aeth y meddyg ati i archwilio Price, canfu fod bwled wedi sefyll yng nghnawd ei wddf. Cyfaddefodd wrth y Dirprwy Brif Gwnstabl, wrth gael ei gyhuddo, mai ef oedd biau'r rifolfer a daniwyd, dryll chwe siambr gyda phedair yn wag. Dywedodd ei fod am farw.

Drannoeth, cynhaliwyd ffars o gwest. Gwnaeth y Crwner, Dr Evan Rowlands, gamgymeriad difrifol drwy ddweud na allai weld sut y medrai ddychwelyd unrhyw ddedfryd ond un o lofruddiaeth fwriadol gan fod y cyhuddedig wedi cyfaddef i'r weithred. Yn ogystal, roedd Dr Rice Williams yn un o'r ynadon yn ogystal ag yn dyst. Fel pe na bai hynny'n ddigon, bu'n rhaid cynnal archwiliad *post mortem* ar frys am na ellid cadarnhau bod y fwled a daniwyd wedi treiddio i ymennydd Mary Ann. Wedi i'r Prif Gwnstabl ddweud y gallai bwled sefyll mewn ymennydd heb achosi marwolaeth, cafwyd sylw anffodus gan yr ail ynad, rhywun o'r enw Zslumper, wrth gyfeirio at anaf Mary Ann Price. Mae'n rhaid bod gan rywun ymennydd twp iawn, meddai, os oedd bwled yn yr ymennydd hwnnw wedi methu â'i ladd.

Swm a sylwedd y cyfan oedd i ddedfryd o lofruddiaeth yn erbyn Price gael ei derbyn heb dystiolaeth archwiliad *post mortem*. Gohiriwyd yr achos nes derbyn cyfarwyddyd gan y Swyddfa Gartref a fynnodd, maes o law, mai mater i'r heddlu ydoedd. Aeth y Crwner ati i gynnal y *post mortem* ei hun a chanfu mai achos y farwolaeth oedd bwled yn yr ymennydd.

Traddodwyd Price i sefyll ei brawf ym Mrawdlys Ceredigion. Yn y llys yn Aberteifi, gerbron y Barnwr, yr Anrhydeddus George Denman, roedd y rheithgor mawr o 23 yn cynnwys byddigions fel yr Arglwydd Vaughan,

Trawscoed; Charles Home Lloyd Fitzwilliam, Castellnewydd Emlyn; yr Uwchgapten Price Lewis, Tyglynaeron, a Henry Tobit Evans, Noyadd, Llanarth. Penderfynwyd bod yna achos i'w ateb a galwyd ar y *Petty Jury* i gymryd eu llw.

Gyda phedair o wragedd yn dystion, doedd dim dadl ynglŷn â phwy fu'n gyfrifol am y saethu. Roedd Price hefyd wedi syrthio ar ei fai. Yn y llys dywedodd i'w wraig ei alw'n 'hen Wyddel' ac edliw iddo bod ei fam a'i chwaer 'yn cerdded yr hewl'. Ar ôl ugain munud cafwyd ef yn euog, gydag argymhelliad am drugaredd. Er hynny, mynnai Price ei fod yn barod i farw. O'r carchar danfonodd lythyr yn ymddiheuro i'w fam-yng-nghyfraith. Ond ychydig ddyddiau cyn y dienyddiad penderfynodd yr Ysgrifennydd Cartref ddiddymu'r gosb eithaf a charcharwyd Price am oes.

Dengys cofnodion Carchar Caerfyrddin i Price gael ei drosglwyddo i Garchar Caerloyw gyda'r ychwanegiad hwn: '*Committed to penal servitude for the rest of his natural life*'.

Erys lleoliad y digwyddiadau bron yn ddigyfnewid hyd heddiw. Saif y *Coopers Arms*, neu'r Cŵps, yn union rhwng Rhes y Poplys a'r bwthyn lle trigai mam Mary Ann. Ond prin fod cwsmeriaid y Cŵps heddiw yn ymwybodol o ddigwyddiadau erchyll mis Mai 1885.

Rees Thomas Rees

Er bod Rees Thomas Rees yn bregethwr cynorthwyol, ei ymateb wedi iddo glywed bod ei gariad yn feichiog oedd ei gorchymyn i waredu'r baban yn y groth. Ond yr hyn a wnaeth oedd lladd y ferch a'i phlentyn.

Trigai Elisabeth Jones ar fferm Ynystoddeb, Gwynfe, ger Llangadog, gyda'i rhieni, Llewellyn ac Elizod Jones a'i chwaer, Gwenllïan. Yn 1814, a hithau'n 17 oed, dechreuodd berthynas â Rees Thomas Rees, 23 oed o Gellibant, Llangadog, a oedd yn bregethwr cynorthwyol gyda'r Presbyteriaid ac yn *County Yeoman*. Ymhen dwy flynedd roedd y ddau wedi cyhoeddi'r gostegion priodas, a'r fodrwy wedi'i phrynu, er bod rhieni Elisabeth yn teimlo'i bod hi'n rhy ifanc. Ond cafodd Elisabeth ei hun yn feichiog cyn y briodas.

Tua wyth o'r gloch nos Fercher, 15 Mai 1816, roedd y teulu gartref yng nghwmni Rees. Wedi i'r rhieni fynd i'w gwely, ac i Gwenllïan gilio i ystafell arall, gadawyd y pâr ifanc gyda'i gilydd. Yn fuan wedyn, clywodd Gwenllïan ei chwaer yn ochneidio a phan aeth i weld beth oedd o'i le fe'i canfu'n gwingo ar y llawr mewn poen. Roedd ei chorff wedi chwyddo a gwaed a phoer yn tywallt o'i ffroenau. Nid oedd sôn am Rees.

Galwyd ar y rhieni a chariwyd Elisabeth i'w gwely. Roedd golwg ofnadwy arni – ei hwyneb wedi chwyddo, ei dannedd yn ddu ac yn rhydd, a'i cheg a'i gwddf yn llawn crawn. Llwyddodd i ddweud bod Rees wedi rhoi potel o hylif llwyd iddi a'i bod wedi yfed ei chynnwys. Pan ddechreuodd deimlo'n sâl cyhuddodd ef o geisio'i lladd. Trodd yntau ar ei sawdl a gadael y tŷ ar unwaith.

Bu'r ferch mewn gwewyr am ddyddiau. Galwodd Rees i'w gweld ddwywaith, yr ail dro yng nghwmni meddyg o Langadog, Joseph Yeomans, sef meddyg Rees ei hun. Rhoddodd Yeomans foddion iddi, ond roedd hi'n dal yn ddifrifol wael ymhen deuddydd pan alwodd y meddyg eto. Cynigiodd ragor o foddion iddi ond gwrthododd ei yfed. Gwell ganddi fyddai moddion Mrs Lewis o Gwmclydach, meddai.

Y tro nesaf i Rees ymweld â hi roedd Elisabeth yng nghwmni ei mam a dwy gymdoges. Pan ddaeth i mewn, cyhuddodd Elisabeth ef o geisio'i lladd. Gwadu hynny'n llwyr wnaeth Rees. Ddeuddydd yn ddiweddarach fe gollwyd y baban ac roedd Elisabeth yn argyhoeddedig ei bod hi'n marw. Roedd hi'n bendant mai Rees a Yeomans fyddai'n gyfrifol am ei thranc. 'Rees oedd yn gyfrifol,' meddai, 'a Yeomans roddodd y stwff iddo yn Ffair Fai Llandeilo.' Roedd y ffair wedi'i chynnal ar 13 Mai. Dywedodd i Rees roi potelaid o rywbeth iddi cyn hynny er mwyn 'puro ei gwaed', ond fe'i taflodd. Y tro nesaf, fodd bynnag, cafodd ei gorfodi i'w yfed.

Ym mhresenoldeb ei mam, ei chwaer, Margaret Rees Brynchwith, Gwen Howell Fforchdwynant, Gwynfe a Mary Rees, Gwynfe, cadarnhaodd wrth ei thad mai Rees fyddai'n gyfrifol am ei marwolaeth.

Fore Sadwrn, 26 Mai bu farw. Yn y cwest galwyd ar nifer o dystion, gan gynnwys Dr Yeomans. Cadarnhaodd hwnnw iddo alw i weld Elisabeth a chredai ei bod hi'n dioddef o'r ysbinagl (quinsy) a'r bolwst (colic). Gwadodd iddo roi unrhyw gymysgedd i Rees yn y ffair. Yn wir, doedd e ddim hyd yn oed wedi bod yn y ffair.

Tystiodd David Evans, saer coed, i Rees gyfaddef wrtho bod y ferch yn disgwyl plentyn ac nad oedd wedi dymuno achosi unrhyw niwed iddi. Barn meddyg teulu Elisabeth oedd ei bod hi'n dioddef o'r dwymyn fraenol *(typhus)* a chredai mai ofer fyddai profi ei chorff am wenwyn gan y byddai unrhyw olion wedi hen ddiflannu erbyn hynny.

Yn y cyfamser, roedd Rees wedi gadael yr ardal. Cyhuddwyd ef ar warant y Crwner o lofruddio Elisabeth Jones. Bu ar ffo am fisoedd ac fe'i cynghorwyd gan ffrindiau i ddianc i America. Aeth mor bell â Lerpwl ond dychwelodd i Gymru ac ymweld â chyfreithiwr yng Nghaerfyrddin. Cyngor hwnnw oedd iddo ddianc neu wynebu cael ei grogi. Ond ar ôl cerdded milltir allan o'r dref dychwelodd a churo ar ddrws y carchar er mwyn ildio'i hun. Dywedodd y tro hwn iddo gael hyd i'r cyffur yn Aberhonddu.

Safodd Rees gerbron y Prif Ustus Samuel Heywood a'r Ustus Balguy ddydd Gwener, 18 Ebrill. Wynebodd ddau gyhuddiad, sef iddo lofruddio Elisabeth Jones o ganlyniad i weinyddu arsenig ac iddo fwriadu achosi erthyliad. Plediodd yn ddieuog ond fe'i cafwyd yn euog o lofruddiaeth a'i ddedfrydu i'w grogi'n gyhoeddus y bore wedyn.

Daeth tua 10,000 ynghyd i wylio'r dienyddio. Ar ôl ei arwain mewn *chaise* i Riw Babell ym Mhensarn, roedd tri o weinidogion yn ei ddisgwyl. Gweddïodd y Parchedig Mr Francis, Caplan y carchar, a'r Parchedig Mr Peters yn Gymraeg, ond yn Saesneg y gweddïodd y Parchedig Mr Cole, Gweinidog y Presbyteriaid Wesleaidd. Canwyd emyn ac yna gweddïodd Rees ei hun yn Gymraeg gan erfyn am drugaredd dwyfol a datgan maddeuant i bawb a wnaeth ei niweidio mewn unrhyw fodd. Gofynnodd am yr un tosturi ag a dderbyniodd Mannasseh, Mair Magdalen a'r lleidr a groeshoeliwyd gyda'r Iesu:

O! achub fi. Glanha fi oddi wrth fy holl bechodau. Yr wyf yn ddiffygiol yng nghlorian y byd hwn. O! am nerth i sefyll ar ddydd y farn. Yn y fan yma y pall trugaredd dynion. Yn y fan yma y terfyn pob cymorth. Arglwydd Iesu, derbyn fy enaid.

Wrth i'r rhaff gael ei gosod am ei wddf, bloeddiodd: 'Yn awr yr wyf yn echrydu ar drothwy tragwyddoldeb. Ffarwél. Arglwydd Iesu, derbyn fy enaid'. Wrth iddo ailadrodd y frawddeg olaf, fe'i hyrddiwyd i dragwyddoldeb. Bu farw ar unwaith heb wingo. Llewygodd nifer o fenywod yn y dorf.

Wedi i'w gorff hongian am yr awr oedd yn ofynnol fe'i cludwyd yn ôl i'r carchar i'w ddyrannu *(dissect)* cyn ei drosglwyddo i ofal ffrindiau. Daeth dyrannu yn arferiad cyffredin yn dilyn Deddf Llofruddio 1751 er mwyn atal mwy o lofruddio. Yn ôl y ddeddf: ' . . . mae chwalu a dyrannu yn angenrheidiol, gan ei fod yn arswyd pellach ac yn nod arbennig o warth i'w ychwanegu at y gosb o farwolaeth.'

Alice Roberts

Fel y dywed yr hen wireb Saesneg, mae colli un gŵr yn anffawd, ond mae colli dau yn esgeulustod. Ofnwyd bod rhywbeth mwy nag esgeulustod y tu ôl i farwolaeth dau ddyn a fu'n briod â gwraig o'r enw Alice Roberts.

Merch o Ddulyn oedd Alice, ei mam wedi priodi ag Owen Hughes, neu Now Fawr, a weithiai ar long y Post Brenhinol, *Hibernia*, rhwng Caergybi a Dulyn. Trigai'r ddau yn 17 Queens' Park, Caergybi, a ganwyd Alice yn 1900.

Yn ddeunaw oed trefnodd Alice i briodi â milwr lleol, Emrys Williams. Ond ddeng niwrnod cyn y briodas bu farw Emrys yn sydyn. Bum mlynedd yn ddiweddarach priododd Alice â John Hughes o Stryd Boston yn y dref. Câi ei adnabod fel Jack Boston a symudodd y ddau i 24 Stryd yr Orsaf. Y flwyddyn ddilynol ganwyd iddynt fab, Owen Richard Hughes.

Ddiwedd Ebrill 1949 dechreuodd Jack achwyn o boenau yn ei stumog a bu farw ar 6 Mehefin. Yn ôl y meddyg, roedd *bronchitis* a *bronchiectasis* arno. Ni wnaeth Alice alaru'n hir. Gosododd hysbyseb am gymar yn y papur lleol. Derbyniodd ddau gynnig a'u gwrthod. Ailhysbysebodd a derbyniodd ateb oddi wrth ŵr gweddw, John Gwilym Roberts o Hen Dŷ'r Ysgol, Talsarnau, tad i bump o blant a elwid yn Jack Fawr. Priododd y ddau ar 3 Mawrth 1951, a symudodd Alice a'i mab a dwy ferch wedi'u mabwysiadu ato i fyw.

Cyn hir dechreuodd Jack ddioddef poenau yn ei stumog. Ar 6 Mawrth 1952, galwyd y meddyg, Dr Robert James Gowanlock Hogg, ond bu farw Jack cyn iddo gyrraedd. Gan iddo farw mor sydyn, esboniodd Hogg y byddai angen archwiliad *post mortem*. Mynnai hi y dylai gael ei gladdu mewn heddwch. Ond hysbyswyd y Crwner, Mr Harri Evans, a gofynnodd hwnnw am adroddiad llawn gan yr heddlu. Ymchwiliwyd i'r mater gan y Rhingyll Thomas Davies, Penrhyndeudraeth.

Ni ddangosodd y *post mortem* arwydd o unrhyw glefyd, a danfonwyd gwahanol organau i'w harchwilio yn y Labordy Fforensig yn Preston. Gan nad oedd oergell ar gael i gadw'r corff, caniatawyd i'r teulu gladdu Jack ym Mynwent Soar. Ond dangosodd yr archwiliad fod y samplau a dderbyniwyd yn cynnwys o leiaf .921 o ronynnau o arsenig.

Holwyd Alice yng Ngorsaf Heddlu Penrhyndeudraeth. Pan oedd hi yn y toiled yno defnyddiodd lafn rasel i dorri ei garddwrn a'i gwddf. Bu yn yr ysbyty am dair wythnos lle y'i cyhuddwyd o geisio'i lladd ei hun, gweithred a ystyrid yn drosedd nes dyfodiad Deddf Hunanladdiad 1961. Cadwyd hi yn y ddalfa tra bod yr ymchwiliad i farwolaeth ei gŵr yn parhau.

Canfu'r heddlu i Alice brynu chwynladdwr yn cynnwys arsenig mewn dwy fferyllfa ym Mhenrhyndeudraeth gan arwyddo'r Gofrestr Gwenwyn ag enw a chyfeiriad ffug. Mewn rheng adnabod cadarnhawyd mai Alice oedd yr un a brynodd y chwynladdwr ac fe'i cyhuddwyd o lofruddio'i gŵr.

Ar hynny dechreuodd teulu Jack Boston amau achos ei farwolaeth ef. Penderfynwyd datgladdu ei gorff a'r canlyniad fu canfod olion o arsenig yn y corff ac yn y pridd o'i gwmpas. Cafwyd bod Alice hefyd wedi arwyddo Cofrestr Gwenwyn mewn fferyllfa yn y dref ychydig cyn

148

marwolaeth Jack Boston.

Ymddangosodd yn Llys Ynadon Blaenau Ffestiniog ddydd Gwener, 16 Mai 1952, ac fe'i traddodwyd i sefyll ei phrawf. Cledwyn Hughes oedd yn amddiffyn. Fe agorodd yr achos ym Mrawdlys Abertawe ddydd Mawrth, 8 Gorffennaf 1952, gyda'r Twrnai Cyffredinol, Syr Lionel Head, yn arwain dros y Goron a Hildreth Glyn-Jones C.F. yn cynorthwyo. Herbert Edmund Davies C.F. oedd yn amddiffyn, gydag Elwyn Jones yn eilydd. Cyhuddwyd Alice o lofruddio John Gwilym Roberts ac o geisio cyflawni hunanladdiad. Plediodd yn ddieuog i'r naill ond yn euog i'r llall. Dywedwyd iddi weinyddu'r arsenig mewn uwd. Yn ôl Dr G. Roach-Lynch, y patholegydd, y 6.93 gronyn o arsenig a ganfu yn y corff oedd y swm mwyaf erioed iddo glywed amdano mewn achos o lofruddio drwy wenwyno.

Honnodd yr Amddiffyniad i Jack ei ladd ei hun. Ond profai'r ffaith iddo archebu siwt newydd ar gyfer y Pasg ei fod yn edrych i'r dyfodol. Cafwyd hefyd fod Alice, a hawliai bensiwn ar ôl claddu ei gŵr cyntaf, wedi parhau i'w hawlio ar ôl priodi ei hail ŵr. Ar ôl dros 43 awr o gyd-drafod, cafodd y rheithgor hi'n ddieuog.

Roedd Alice yn drysorydd ar gangen y Blaid Lafur yn yr ardal ac ar ôl ei rhyddhau, derbyniodd Cledwyn Hughes ac Elwyn Jones longyfarchion James Griffiths, A.S. Llanelli ar eu 'buddugoliaeth i Lafur'.

Ar ddiwrnod olaf mis Gorffennaf 1952, yn dilyn cwest ar weddillion Jack Boston, gwysiwyd Alice i ymddangos gerbron y Crwner. Cyflwynwyd tystiolaeth ei bod hi wedi prynu arsenig a bod olion o'r gwenwyn hwnnw yng nghorff y trancedig. Y ddedfryd oedd i arsenig achosi'r farwolaeth. Sut bynnag, nid oedd modd canfod sut yr aeth yr arsenig i'r corff.

Yna clywyd am brofedigaeth arall. Wrth i'r cwest ddod i

ben derbyniodd Elwyn Jones, a gynrychiolai Alice yno, delegram yn ei hysbysu bod ei frawd, Gwyn, wedi'i ladd mewn damwain car ym Milan. Oedwyd nes iddo gwblhau ei araith olaf cyn ei hysbysu o'r drychineb.

Ymddangosodd Alice Roberts gerbron Ynadon Porthmadog ar 12 Medi 1952, ar gyhuddiad o dderbyn arian drwy dwyll, sef £2.2s.6d. yr wythnos am 53 o wythnosau. Plediodd yn euog ac fe'i carcharwyd am dri mis.

Wedi ei rhyddhau bu'n byw mewn carafán ar gyrion Caergybi cyn symud i fyw at ei mab a'i dwy ferch yn Randolph Avenue, Maida Vale, Llundain. Torrodd ei hiechyd a dioddefodd sawl strôc. Yno y bu farw a llosgwyd ei chorff yn Amlosgfa Golders Green.

George Roberts

Cysylltir tref fechan Talacharn â Dylan Thomas, wrth gwrs. Ond, bron ddwy flynedd cyn claddu'r bardd ym Mynwent Sant Martin yn y dref, daeth Talacharn yn enwog am reswm arall.

Nos Sadwrn, 10 Ionawr 1953, toc wedi chwech y nos, roedd Ronald Thomas Jones yn cerdded heibio i 3 Stryd Clifton ar ei ffordd i garej Jacque de Schoolmeister pan glywodd sgrech yn dod o'r tŷ a llais menyw yn gweiddi am help ac yn crefu ar rywun i beidio â'i hanafu. Credai iddo glywed yr enw 'Harri' yn cael ei yngan. Deuai'r sgrechian o'r pasej yn ffrynt y tŷ. Cyflymodd Jones ei gerddediad tua'r garej lle canfu fod de Schoolmeister yng nghwmni'r Rhingyll T.J. Morgan o Sanclêr. Aeth y tri ar unwaith i'r tŷ yn Stryd Clifton.

Erbyn iddynt gyrraedd roedd y sgrechian wedi peidio. Bwthyn bach oedd Rhif 3 a chanddo ddwy ystafell ar y llawr, un bob ochr i'r drws. Roedd y drws ar glo, ond gwelwyd golau yn y ffenest ar yr ochr dde i'r drws. Syllodd y Rhingyll drwy dwll y clo ac yn y llwydolau gwelodd rywun yn sefyll gan blygu ymlaen fel petai'n crymu dros rywbeth neu rywun. Ni allai weld ai dyn neu fenyw, neu hyd yn oed blentyn, oedd yn sefyll yno, dim ond bod y person dan sylw yn gwisgo cap o liw golau. Ysgydwodd y drws yn ffyrnig i geisio cael rhywun i'w agor, ond heb unrhyw ymateb.

Erbyn i'r Rhingyll gamu 'nôl o'r drws, sylwodd fod y golau wedi'i ddiffodd. Sylwodd yn ogystal fod ffenest yr ystafell, er ynghau, heb ei chloi. Agorodd hi a dringo i mewn. Wrth iddo gynnau'r lamp sylwodd fod ei gwydr yn dal yn dwym. Aeth i'r pasej a chanfu fenyw oedrannus yn gorwedd yno gyda'i choesau tuag at y drws. Roedd hi'n dal i riddfan a gwelodd iddi ddioddef anafiadau difrifol i'w phen. Galwyd y meddyg, Dr D.M. Hughes, Sanclêr, a chludwyd hi i Ysbyty Gorllewin Cymru, Caerfyrddin, lle bu farw am naw o'r gloch fore trannoeth heb yngan gair.

Miss Elizabeth Thomas oedd enw'r trancedig. Roedd hi'n 78 oed ac yn byw ar ei phen ei hun. Yn ogystal â'r anafiadau amlwg i'w phen gwelwyd rhwyg o oddeutu tair modfedd yn ei chlust dde. Roedd y llygad de wedi duo ac roedd cleisiau ar ei thalcen ac ar ei gên uchaf o dan y glust dde. Roedd asgwrn y benglog wedi'i dorri yn ogystal â'i braich dde. Gwelwyd iddi gael ei thrywanu deirgwaith yn ei brest a phedair gwaith yn ei chefn, anafiadau oedd yn gyson â thrywaniad cyllell. Roedd ei hymosodwr, felly, wedi'i tharo ar ei phen ac wedi'i thrywanu droeon – ymosodiad milain iawn. Ni welwyd yr un arwydd o ymosodiad rhywiol.

Ym mhasej y tŷ canfuwyd darn hir o bren a ddefnyddiai Miss Thomas i'w osod ar draws gwaelod y drws ffrynt i gadw'r oerfel allan. Gwelwyd dau neu dri blewyn yn glynu wrtho a phrofwyd mai gwallt pen Miss Thomas oeddynt.

O holi tystion, yr unig un a welwyd yn agos at fwthyn Miss Thomas ar adeg y llofruddiaeth oedd George Roberts, 46 oed, gŵr mud a byddar o'i enedigaeth. Fe'i ganwyd yn Nhalacharn yn 1907, ond roedd wedi byw gyda thri ewythr yn Ferry House yn y dref er marwolaeth ei fam yn 1945. Gwelwyd ef yn oedi yn union gyferbyn â'r bwthyn ychydig cyn chwech o'r gloch, ac am 6.15 fe'i gwelwyd yn cerdded i ffwrdd o gyfeiriad y tŷ. Bu ganddo, felly, gyfle i gyflawni'r weithred erchyll.

Tystiodd Trefor Bowen o Stryd Frogmore iddo weld Roberts ychydig cyn y Nadolig blaenorol yn hogi cyllell hir. Edrychai fel cyllell ag iddi gryn awch. Dywedodd David John Davies hefyd fod gan Roberts gyllell hir. Fe'i gwelodd unwaith pan fenthyciodd Roberts hi i ffrind iddo i naddu blaen pensel. Disgrifiodd hi fel cyllell nad oedd yn plygu ac edrychai'n debyg i gyllell bwrdd.

Gelwid Roberts yn *Booda* gan bawb yn lleol. Dyn gwneud popeth, neu 'ddyn y dwt', ydoedd a gwnâi fân dasgau fel torri coed tân a chymhennu gerddi. Gwariai ei enillion ar gomics a sigaréts. Roedd Miss Thomas a'i chymdogion o bobtu iddi yn gwsmeriaid iddo, felly gwyddai'n dda am y gerddi y tu ôl i'r tai. Byddai wedi bod yn hawdd iddo ddianc o ddeall bod dynion y tu allan. Ni fyddai wedi clywed y curiadau ar y drws ond fe fyddai'n sicr wedi'u teimlo, ac yntau yn union y tu ôl iddo.

Holwyd Roberts ar 13 Ionawr gan y Ditectif Glynne Jones, gyda chymorth Myfanwy Beddoe Davies o Lanelli, drwy gyfrwng iaith arwyddion. Dywedodd Roberts iddo weld Miss Thomas ar riniog ei drws tua 4.00 y prynhawn ac fe'i saliwtiodd, meddai, gan ei bod hi'n ffrind. Roedd wedi mynd adref tua 5.00 ac wedi aros yno weddill y dydd. Gwadodd iddo fod y tu allan i gartref Miss Thomas tua 6.00.

Galwyd am gymorth Scotland Yard a chyrhaeddodd y Ditectif Uwcharolygydd Reg Spooner a'r Ditectif Ringyll Ernie Millen. Cafodd Spooner y syniad o gael Roberts i esbonio'i hun drwy dynnu sgetsys. Tynnodd lun o dŷ Miss Thomas a'r tai bob ochr ac yna lun o gloc y dref yn dangos 6.30, yr amser yr oedd wedi cerdded heibio iddo. Tynnodd hefyd lun cyllell ac yna lun o'r môr ac o graig uwchben tŷ Dylan Thomas gan awgrymu, drwy ystum, fod y gyllell yn y môr. Ond er i ddegau o blismyn chwilio'r traeth, ni ddaethpwyd o hyd iddi.

Yr unig dystiolaeth i gysylltu Roberts â'r llofruddiaeth oedd smotyn o baent distemper ar ei got law, yr un math ag oedd ar wal pasej 3 Stryd Clifton. Ond roedd Roberts wedi gweithio yno, felly fe allai'r ôl fod ar ei got am reswm digon diniwed.

Ymddangosodd Roberts gerbron Ynadon Sanclêr gyda E.C. Jones yn erlyn a Myer Cohen, Caerdydd, yn amddiffyn. Cafwyd trafferth i gael Roberts i ddeall yr hyn oedd yn digwydd a galwyd ar arbenigwr o Bontypridd, T.A. Collins, i gyfieithu iddo. Ond buan y sylweddolodd hwnnw na allai Roberts ddeall iaith arwyddion. Parhaodd yr achos am dridiau a galwyd ar 44 o dystion cyn traddodi Roberts i sefyll ei brawf ym Mrawdlys Caerfyrddin.

Ar 6 Mawrth 1953, ymddangosodd gerbron yr Ustus Devlin. Ni chyflwynwyd ple ar ei ran a'r cwestiwn oedd ai mud o ddrwgfwriad oedd hyn neu mud trwy ymyrraeth Duw. Penderfynwyd ar yr olaf a throsglwyddwyd yr achos i Frawdlys Caerdydd. Yno, ar 24 Mawrth, ymddangosodd Roberts gyda Mr Edmund Davies C.F. yn amddiffyn a Mr Vincent Lloyd Jones yn erlyn. Yn unol â'r ddeddf, câi person nad oedd yn ddigon abl i bledio ei gaethiwo am gyfnod amhenodol. Ond a chymryd bod Roberts yn ddieuog, a fyddai'n deg ei gaethiwo am na fedrai bledio? Ystyriwyd hyn gan y ddwy ochr. Sylweddolwyd mai annigonol oedd y dystiolaeth yn ei erbyn ac yn y diwedd gorchmynnodd y Barnwr mai'r cwrs cywir a chyfiawn fyddai i'r Erlyniad beidio â chynnig unrhyw dystiolaeth. Rhyddhawyd Roberts yn ddi-oed.

Dychwelodd i Dalacharn ond ni fu yno'n hir. Treuliodd weddill ei oes yn hen wyrcws Caerfyrddin.

Roy Searle

Yn dilyn llofruddiaeth erchyll ar lethrau'r Mynydd Du ym mis Medi 1971, ni chyfeiriodd prif bennawd y papur lleol at y digwyddiad o gwbl. Yn hytrach, cyhoeddodd mewn llythrennau breision: *GWYNFE SHOW, THE BEST EVER.* Ie, blaenoriaethau sy'n bwysig yn y Gymru wledig.

Y gŵr a lofruddiwyd oedd Malcolm Ian Donald Heaysman, rheolwr busnes o Islington, Llundain. Roedd y cwmni y gweithiai iddo, *Becks British Carnival Novelties*, yn arbenigo mewn nwyddau carnifal.

Yn 46 mlwydd oed, prynodd Heaysman fwthyn Godre'r Waun yng Ngwynfe ger Llangadog er mwyn bod yn agosach at ei fam, Bebe Quantock, a oedd wedi prynu bwthyn filltir i ffwrdd ym Mron-y-Glyn. Roedd rhieni Heaysman wedi ysgaru yn 1942 a'i fam wedi ailbriodi yn 1960. Ond bu farw'r ail ŵr bum mlynedd yn ddiweddarach. Bu Heaysman yn byw gyda'i fam am gyfnod ond yn 1969 priododd â Mrs Rose Searle, cyn-wraig i Reginald Victor Searle a mam i ddau o blant. Un o'r ddau oedd Roy, a anwyd yn 1948 ac a weithiai yn ffatri Ford yn Dagenham, Essex. Trigai yn Mare Street, Hackney, Llundain.

Doedd fawr o gariad rhwng Roy a'i lystad. Roedd gan Heaysman duedd i wisgo dillad menywod. Daeth Roy yn ymwybodol o hyn ar ddiwrnod y briodas. Gwahoddwyd ef a'i frawd gan y llystad i barti wedi'r briodas yn nhafarn yr

York and Red Lion yng ngogledd Llundain. Yno gwelsant fod llawer o'r dynion yn y parti'n gwisgo colur a daethant i sylweddoli'n gyflym mai tafarn ar gyfer dynion yn unig ydoedd.

Honnwyd hefyd fod gan Heaysman ystafell yn ei gartref yn llawn dillad menywod, ac mae'n debyg iddo fygwth lladd ei wraig petai hi'n sôn wrth unrhyw un am hynny. Roedd Roy Searle am wynebu ei lystad a'i rybuddio i newid ei ffordd o fyw. Ymbiliodd ei fam arno i beidio gan i Heaysman unwaith, ar ôl dod adre'n feddw, wasgu ei gwddf nes iddo bron iawn â'i thagu.

Yn achlysurol teithiai Heaysman o Lundain i Wynfe i adnewyddu'r bwthyn. Ddydd Mawrth, 28 Medi 1971, yn ystod un o'r ymweliadau hyn, daethpwyd o hyd i'w gorff yn gorwedd ar lôn y bwthyn. Roedd wedi dioddef ergydion i'w ben.

Galwyd am gymorth Scotland Yard a danfonwyd y Ditectif Brif Uwcharolygydd Don Saunders a'r Ditectif Ringyll Tom Morrison i arwain yr ymchwiliad. Cythruddwyd y bobl leol pan awgrymodd Saunders, mewn cyfweliad, ei fod yn rhoi sylw i deimladau'r Cymry lleol am y ffaith bod Sais wedi prynu bwthyn yn yr ardal. Gwelwyd hynny fel arwydd eu bod yn amau mai rhywun lleol oedd y llofrudd. Ni bu Gwynfor Evans yn hir cyn lleisio'i farn ar ran y bobl leol a bu cryn drafod ar y mater yn y papurau.

Cyn hir daeth gwybodaeth i law am ddau ddyn dieithr – dau Sais – a oedd wedi galw yn nhafarn y *Plough* yng Ngwynfe tua un o'r gloch ar brynhawn y llofruddiaeth gan ofyn am y ffordd i Gapel Gwynfe. Lai nag awr yn ddiweddarach roedd y ddau yng nghaffi Swyddfa Bost Llanddeusant. Deallwyd bod Heaysman wedi bod yn cael te gyda'i fam ym Mron-y-Glyn tua 4.00 cyn dychwelyd i Odre'r Waun. Tua 7.00 y noson honno clywyd sŵn car yn

156

cychwyn ac yn gyrru o gyfeiriad y bwthyn.

Yn fuan iawn daeth yr heddlu i'r casgliad mai Roy Searle oedd yn gyfrifol am y llofruddiaeth. Ddydd Llun, 4 Hydref, aeth Searle i weithio'r shifft nos yn Dagenham. Drannoeth, yn ei gartref, arestiwyd ef. Dywedodd ei fod yn ymwybodol o'r llofruddiaeth wedi iddo ddarllen yr hanes yn y papur, ond ni allai feddwl am unrhyw un a fuasai am ladd Heaysman. Gwadodd unrhyw ran yn y llofruddiaeth ei hun ond cyfaddefodd iddo fod yng Ngodre'r Waun yn cwyno wrth ei lystad am y ffordd y trafodai ei fam, Mrs Heaysman. Roedd wedi gyrru yno yng nghwmni Roy Owen Gibson, 37 oed, gan ddwyn car o ffatri Ford yn Dagenham. Dywedodd iddynt gymryd hoe a chysgu yn y car ar y ffordd, ac ar ôl cyrraedd Gwynfe, cerddasant ar draws y caeau nes dod o hyd i fan Heaysman. Cyrhaeddodd hwnnw yr un pryd.

Wedi i Searle edliw i Heaysman y ffordd y byddai'n trin ei fam, bygythiodd ei lystad ef ac yna dechrau ei gicio. Cwympodd Searle, ac wrth iddo wneud hynny teimlodd ddarn o bren ar y llawr. Cydiodd yn y pren a dechrau curo Heaysman nes i'w gyfaill ei atal. Pwysleisiodd nad oedd ganddo unrhyw fwriad i'w ladd, dim ond ei rybuddio am ei ymddygiad. Doedd Gibson ddim wedi cymryd unrhyw ran yn yr ymosodiad, ond arestiwyd ef ym Manceinion a'i wahodd i wneud datganiad. Cadarnhaodd yr hyn a ddywedodd Searle am eu taith i Wynfe. Roedd Searle wedi dweud wrtho bod ganddo 'job' i'w gwneud yng Nghymru ac addawodd ddigolledu Gibson am golli gwaith. Doedd ganddo ddim syniad bod Searle yn mynd i ymosod ar ei lystad. Yn wir, roedd wedi ceisio'i atal.

Cyhuddwyd y ddau o lofruddiaeth, ond yn Llys Ynadon Llandeilo ddydd Mawrth, 16 Tachwedd, gollyngwyd y cyhuddiad yn erbyn Gibson a'i gyhuddo, yn hytrach, o gynorthwyo troseddwr drwy yrru Searle bob cam yn ôl i

Lundain gan wybod i hwnnw lofruddio rhywun. Cyhuddwyd y ddau, hefyd, o fynd â char heb ganiatâd y perchennog. Fe'u traddodwyd i sefyll eu prawf ym Mrawdlys Morgannwg.

Ymddangosodd y ddau yn Abertawe ar 26 Ionawr 1972. Plediodd y ddau yn euog i ddwyn car a phlediodd Gibson yn ddieuog i'r cyhuddiad o gynorthwyo troseddwr. Ond fe'i cafwyd yn euog a'i garcharu am bum mlynedd. Plediodd Searle yn euog i ddynladdiad, ond profwyd ef yn euog o lofruddiaeth ac fe'i carcharwyd am oes.

Manoeli Selapatane a Pansotis Alepis

Dau Roegwr oedd y ddau olaf i'w crogi'n gyhoeddus gyda'i gilydd yn Abertawe. Ond bu diwedd y ddau yn wahanol iawn. Bu farw un ar unwaith tra bu'r llall yn gwingo yng nghwlwm rhedeg y rhaff am hydoedd.

Crogwyd y ddau yn dilyn llofruddiaeth Groegwr arall, Atanasio Mitropanio, cogydd ar y brìg *Penelope*, tra oedd y llong honno'n llwytho glo yn Nociau Abertawe rhwng wyth a naw o'r gloch nos Fawrth, 16 Chwefror 1858. Gwylio llong arall yn llawn alcam oedd y clerc Francis Henwood a'r labrwr Thomas Johns pan glywsant sŵn ymrafael a lleisiau'n siarad mewn iaith dramor tua chanllath oddi wrthynt. Yna clywodd y ddau sblash fel petai rhywbeth trwm wedi disgyn i'r dŵr. Gwelsant rywbeth gwyn yn arnofio ar wyneb yr harbwr ac, yng ngolau llusern, defnyddiodd Henwood fachyn cwch i dynnu'r gwrthrych i ochr y gamlas. Person oedd ar flaen y bachyn, a chyda help dyn arall, John Desnell, llwyddwyd i'w dynnu o'r dŵr. Ond roedd yn farw gelain ac, yn ôl Johns, 'yn mygu'. Cyrchwyd plismon a chlowyd y corff mewn ystafell yn nhafarn y *Ship and Castle*.

Yn ymyl y fan lle tynnwyd y corff o'r dŵr, canfu Johns ffon gerdded a chap, carreg fawr ag arni olion gwaed, cetyn â gwaed arno, darn o raff droedfedd o hyd a phêl haearn gyda chortyn wedi'i blethu amdani. O archwilio'r corff cafwyd bod dwy archoll ddofn yn ei ochr chwith ac anafiadau difrifol i'r pen.

Cadarnhaodd capten y *Penelope* mai Atanasio Mitropanio oedd y trancedig. Roedd wedi bod yn gogydd ar y llong am bedwar mis ac wedi derbyn dwy sofren y diwrnod cynt mewn arian Twrcaidd.

Haerodd menyw o'r enw Elisabeth Phillips i Mitropanio, y nos Sul flaenorol yn y *Powell's Arms*, gynnig sofren iddi am gysgu gydag ef. Derbyniodd y sofren, meddai, ond gwrthododd ufuddhau i'w gais. Fe'i gwelodd y noson wedyn yng nghwmni dau Roegwr arall. Yna, yn gynnar ar noson y llofruddiaeth, cyfarfu â'r ddau Roegwr arall eto a phrynodd wydraid o gwrw yr un iddynt yn y *Red Lion*. Dywedodd Manoeli Selapatane wrthi y byddai'n rhaid iddo yfed y ddau wydraid ei hun am nad oedd ei ffrind, Pansotis Alepis, yn yfed. Yna talodd Selapatane swllt am frandi iddi hi a gwydraid o rym iddo'i hun.

Roedd Eliza Loveless o'r *Jolly Tar* yn Stryd y Gwynt wedi rhoi llety i ddau dramorwr, ac ar noson y llofruddiaeth gwelsai un ohonynt yn golchi ei gadach poced yn yr iard cyn ei sychu ar y jac o flaen y tân. Cofiodd, hefyd, iddi weld ffon yn hongian ar y sgiw, un debyg i'r un a welodd Thomas Johns wrth ymyl y gamlas wrth dynnu'r corff o'r dŵr.

Yn y *Jolly Tar* yn hwyr ar noson y llofruddiaeth fe arestiwyd Selapatane, 28 oed, ac Alepis, 23 oed, gan y Rhingyll Michael Crockford a'r Uwcharolygydd Dunne.

Yn y *Cameron Arms* y prynhawn wedyn agorwyd cwest ar farwolaeth Mitropanio gan y Crwner, Charles Collins. Tystiwyd i symudiadau Mitropanio ar ei noson olaf. Yna clywyd bod arlais y cogydd wedi'i chwalu gan arf di-fin a'i gorff wedi'i drywanu bedair gwaith ag arf miniog. Roedd yn farw cyn cael ei daflu i'r dŵr.

Cafwyd mwy o dystiolaeth am symudiadau'r cogydd a Selapatane ac Alepis gan aelodau o griw y *Penelope* a chan dystion ar y lan. Ychydig wedi amser y llofruddio roedd Frances Maria Edwards, Sarah Lovelace a rhyw Miss Phelps wedi gweld dau ddyn yn rhedeg yn gyflym ar hyd ymyl y gamlas cyn arafu a cherdded i gyfeiriad gwaelod Stryd y Gwynt. Roedd pobydd, Charles James, wedi gwerthu pedair teisen i Selapatane ac wedi newid sofren iddo. Canfuwyd yr union newid yn ei boced pan arestiwyd ef a'i gyfaill yn y *Jolly Tar*, a chanfuwyd sofren Dwrcaidd ym mhoced y llall.

Traddodwyd y ddau i sefyll eu prawf ym Mrawdlys Abertawe gerbron y Barnwr, y Barwn Branwell. Giffard a Bowen oedd yn erlyn a C.B. Mansfield yn gyfreithiwr iddynt. Allen a Rees oedd yn amddiffyn. Gwrthododd y ddau ddiffynnydd yr hawl i ddewis rheithgor gyda'i hanner yn dramorwyr.

Cyflwynwyd y dystiolaeth gref a fodolai yn erbyn y ddau a chwe munud yn unig fu'r rheithgor yn cyd-drafod cyn dychwelyd dedfryd o 'euog'. Wrth ymateb i'r ddedfryd mynnai Selapatane ei fod yn ddieuog. Doedd Alepis ddim am ddweud gair ac eithrio ei fod yn dymuno i'r achos gael ei adael yn nwylo Duw – a mynnu y buasai wedi'i gael yn ddieuog yn ei wlad ei hun.

Cadwyd y ddau yng Ngharchar Abertawe am dair wythnos er mwyn 'rhoi iddynt y cyfle i erfyn maddeuant eu Creawdwr'. Yn ogystal â Chaplan y carchar, y Parchedig E.B. Squire, bu Abad yr Eglwys Roegaidd, y Parchedig N. Morphinos, yn gysur mawr iddynt.

Crogwyd y ddau gyda'i gilydd ddydd Sadwrn, 20 Mawrth 1858. Codwyd crocbren y tu allan i'r carchar a bu'n rhaid i'r ddau gerdded ymron 300 llath o'u celloedd. Daeth oddeutu 20,000 o bobl ynghyd i wylio'r crogi, a oedd yng ngofal Calcraft.

Pan dynnwyd y follt, disgynnodd y ddau gyda'i gilydd. Bu farw Alepis ar unwaith ond bu Selapatane'n gwingo am ymron saith munud. Fe'u gadawyd i hongian am awr cyn eu claddu o fewn muriau'r carchar.

George Shotton

Ystyrir marwolaeth Mamie Stuart yn un o glasuron hanes llofruddiaethau, nid yn unig oherwydd ei chefndir lliwgar ond hefyd oherwydd i'w chorff fod ar goll am dros ddeugain mlynedd.

Un o ferched y ddawns oedd Mamie, a anwyd yn Sunderland ar 25 Tachwedd, 1893. A hithau'n ddeunaw oed ymunodd â dwy ferch arall i ddiddanu'r tyrfaoedd yn theatrau gogledd Lloegr cyn i'r Rhyfel Byd Cyntaf dynnu'r llen ar y parti a'u gwahanu.

I Lundain yr aeth Mamie, i ymddangos yn achlysurol yn theatrau'r ddinas, ac yno y cyfarfu â George Shotton, peiriannydd llongau. O Sunderland yr hanai yntau hefyd ond byddai'n teithio, yn rhinwedd ei swydd, i wahanol borthladdoedd ledled Prydain.

Yn dilyn carwriaeth fer, priodwyd y ddau yn South Shields ar 25 Mawrth, 1918, gyda Shotton yn ei ddisgrifio'i hun ar y dystysgrif fel gŵr sengl 37 oed. Bu'r ddau'n byw mewn gwahanol fannau, gyda'r gŵr yn parhau i deithio a threulio llawer o'i amser oddi cartref. Roedd Shotton wrth ei fodd â'r sefyllfa hon gan ei fod, mewn gwirionedd, eisoes yn briod. Roedd wedi priodi â May Leader, 23 oed, yn Eglwys Wynllyw, Casnewydd, ar 7 Medi 1905. Ac erbyn iddo gyflawni dwywreiciaeth gyda Mamie yr oedd ganddo ef a May blentyn yn eu cartref ym Mhenarth.

Byddai Shotton, felly, yn rhannu ei fywyd gyda'r ddwy wraig am yn ail. Pan fyddai Mamie yn gweithio yn y theatrau, âi ef i Benarth at May. A phan ddeuai Mamie adref, âi'n ôl ati hi.

Cyn bo hir cafodd Shotton waith yn Adelaide Chambers, Abertawe, gwaith na fyddai'n golygu cymaint o deithio. Byddai hynny, wrth gwrs, yn ei gwneud yn anos iddo fyw dau fywyd. Ond cymerodd lety yn Nheras Trafalgar, Abertawe, gan ddod â Mamie gydag ef. Yn ddiweddarach symudodd y ddau i fyw i Dŷ Llonydd, Newton, Y Mwmbwls. Tua'r un adeg, fodd bynnag, mynnodd May symud i fyw i ardal Abertawe hefyd. Prynodd y ddau dŷ o'r enw Craig Eithin ym Mae Caswell, hefyd yn y Mwmbwls, rhyw ddwy filltir yn unig o Dŷ Llonydd.

Roedd angen adnewyddu Craig Eithin, ac fel yr âi'r gwaith yn ei flaen âi Shotton â May yno yn achlysurol. A phan fyddai May yn ddigon pell ym Mhenarth, âi â Mamie yno. Credai Mamie, fwy na thebyg, mai ar ei chyfer hi oedd y tŷ.

Fel yr âi amser yn ei flaen, aeth yn anos i Shotton barhau gyda'r twyll heb i un ddod i wybod am y llall. Pe deuai ei ddwywreiciaeth i'r golwg, Mamie fyddai'r prif dyst yn ei erbyn mewn llys barn.

Wedi i'r gwaith adnewyddu gael ei gwblhau ddechrau Rhagfyr 1919, a May yn paratoi i symud i mewn, bu cweryl cas rhwng Shotton a Mamie. Yn ôl Shotton, pan ddaeth adref o'r gwaith un diwrnod, roedd Mamie wedi diflannu. Nid oedd unrhyw sôn amdani. Doedd hi ddim wedi dychwelyd at ei rhieni yn Sunderland ac ni chlywodd ei rhieni air oddi wrthi byth wedyn. Teimlent yn ddrwgdybus iawn ac ofnent fod rhywbeth ofnadwy wedi digwydd i'w merch. Aethant at yr heddlu, ond er chwilio a chwilio amdani ni ddaeth i'r fei.

Yn naturiol, holwyd Shotton. Ond ni roddai ef bwys mawr ar ei diflaniad – roedd hi wedi bod yn absennol droeon o'r blaen. Bu cydweithredu clòs rhwng heddluoedd Sunderland, South Shields ac Abertawe ac, yn anochel, daeth dwywreiciaeth Shotton i'r golwg.

Ymddangosodd Shotton ym Mrawdlys Abertawe ar gyhuddiad o 'briodi' Mamie Stuart yn ystod bywyd ei wraig, May Shotton. Ac er iddo bledio'n ddieuog, profwyd y cyhuddiad yn ei erbyn ac anfonwyd ef i garchar am gyfnod o ddeunaw mis gyda llafur caled.

Yn y cyfamser, parhau wnaeth y chwilio am Mamie Stuart. Aeth dros ddeugain mlynedd heibio cyn cael ateb i'r dirgelwch. Mae Penrhyn Gŵyr yn frith o gilfachau ac ogofeydd, ac archwilio hen ogofeydd oedd tri dyn ddydd Sul, 5 Tachwedd 1961, pan ddaethant o hyd i esgyrn dynol yn ddwfn mewn ogof yn Brandy Cove, 480 llath o Graig Eithin. Profwyd mai gweddillion Mamie Stuart oeddynt.

Cynhaliwyd cwest ar y farwolaeth ddydd Iau, 14 Rhagfyr 1961. Un o'r tystion oedd cyn-bostmon a gofiai'r adeg pan ddiflannodd Mamie Stuart. Tystiodd iddo weld fan felen y tu allan i Graig Eithin un bore pan oedd yn dosbarthu llythyrau. A gwelodd George Shotton yn rhyw hanner llusgo a hanner cario sach lawn i lawr dros dair neu bedair gris wrth ddrws y ffrynt a'i gosod yn y fan. Cynigiodd y postmon ei helpu, ond atebodd Shotton yn frysiog fod popeth yn iawn ac na fynnai unrhyw gymorth. Ddeng munud yn ddiweddarach, gwelodd Shotton yn gyrru'r fan i gyfeiriad Brandy Cove.

Ar ôl clywed yr holl dystiolaeth, penderfynodd y rheithgor i Mamie Stuart gael ei llofruddio gan George Shotton.

Aeth dau dditectif o Dre-gŵyr, Islwyn Davies ac Elgar Williams, ati i chwilio amdano. Cawsant wybodaeth ei fod wedi byw yn Lydney, yn Llundain ac yna ym Mryste. Yng ngwanwyn 1958 roedd Shotton wedi cael ei daro'n wael ac aethai i Ysbyty Snowdon Road, Bryste, ac ar 30 Ebrill bu farw yno – dair blynedd cyn darganfod gweddillion Mamie Stuart.

Mark Trayton Smith

I bobl Porth Tywyn roedd mynd allan am dro i'r harbwr yn hwyr y nos yn weithgaredd digon cyffredin. Ond pan wnaeth Albert Richards a'i wraig Dianne hynny gyda'r hwyr ar Ŵyl y Banc, 30 Awst 1982, prin iddo feddwl y byddai'n gelain o fewn ychydig funudau.

Roedd Albert a Dianne wedi bod yn briod ers tair blynedd. Roedd gan Dianne bump o blant o'i phriodas gyntaf a phrofodd Albert yn llystad arbennig o dda iddynt. Chwech ar hugain oed oedd ef, rai blynyddoedd yn iau na'i wraig. Yn ddyn cryf, pwysai rhwng 17 a 18 stôn a safai dros chwe throedfedd mewn taldra. Gweithiai i fasnachwr glo lleol fel dosbarthwr, felly roedd yn adnabyddus i'r rhan fwyaf o bobl yr ardal. Câi ei ddisgrifio fel 'cawr addfwyn'.

Ar y noson dan sylw bu Albert a Dianne yn cymdeithasu yn nhafarndai'r *Windsor*, y *Portobello* a'r *Hope and Anchor*. Eu bwriad wedyn oedd mynd adref i Heol Sandfields, ond gan fod y plant yn gwylio ffilm fideo ar y teledu penderfynodd y ddau fynd am dro i'r harbwr. Aethant ymlaen, felly, i Heol Elkington, Heol y Stesion a thros bont y rheilffordd i gyfeiriad yr harbwr. Ger y morglawdd, wrth gerdded drwy'r maes parcio, gwelsant bâr ifanc yn cael rhyw mewn car. Teimlodd Albert a Dianne rhyw wefr ac aethant y tu ôl i wal yr harbwr. Yno, tua un o'r gloch y bore, gorweddodd y ddau yng nghysgod y wal.

Ond roedd rhywun wedi'u dilyn. Wrth i Albert a Dianne ddechrau mwynhau eu hunain clywsant waedd: 'Honna yw'n wejen i!' Dilynwyd hyn gan regfeydd. Esboniodd Albert mai ei wraig oedd y fenyw ond neidiodd y dyn tuag atynt. Llwyddodd Albert i wthio'i wraig i'r naill ochr ond trywanwyd ef yn ei galon. Sgrechiodd Dianne. Pan welodd yr ymosodwr ei gamgymeriad dywedodd: 'O, sori, o'n i'n meddwl mai'n wejen i oeddet ti'.

Tua hanner munud barhaodd yr ymosodiad cyn i'r dyn redeg i ffwrdd i lawr tua'r traeth. Fe'i gwelwyd yn ffoi gan bâr arall oedd yn cerdded yn yr harbwr. Erbyn hyn roedd Dianne mewn cryn bicil. Ceisiodd gael ymateb oddi wrth Albert, ond yn ofer. Galwodd ar drigolion y tŷ agosaf, ond fe aeth tua chwarter awr heibio cyn iddi gael ateb o *Harbour View House*. Erbyn hyn, gwyddai fod Albert yn farw.

Toc, cyrhaeddodd yr heddlu dan arweiniad y Ditectif Brif Arolygydd Roy Davies (yr awdur). Cadarnhaodd y meddyg, Dr Cledwyn Thomas, Llanelli, fod Albert yn farw, a chadarnhaodd mai cyllell oedd yr arf a ddefnyddiwyd.

Daeth yn amlwg yn fuan i'r llofrudd gamgymryd gwraig Albert am rywun arall ac mai'r ferch oedd targed y llofrudd wedi iddo'i chamgymryd am ei gariad. Wrth i Albert ei gwthio o'r neilltu, arbedodd ei bywyd. Yn amlwg, y ffordd ymlaen fyddai canfod pwy oedd cariad go iawn y llofrudd.

Wrth iddi ddyddio, fe ddechreuodd pobl gyrraedd ardal yr harbwr. Yn eu plith roedd rhywun yn loncian ar hyd y twyni tywod. Rhoddodd ei enw i PC Huw Jones fel Mark Trayton Smith, 21 oed, clerc ym Manc y Midland, oedd yn byw yng Nghastell-nedd. Ond trigai ei rieni a thri phlentyn iau yn 103 Heol Pencoed, Porth Tywyn.

Heb fod ymhell o safle'r llofruddiaeth roedd gwersyll gwyliau *Shoreline*, ac fe allai'r llofrudd fod yn rhywun oedd yno ar wyliau dros Ŵyl y Banc ac ar fin gadael am adref. Beth, felly, oedd yr heddlu i'w wneud? Holi'r ymwelwyr cyn iddynt adael neu chwilio'r traeth cyn i'r llanw godi? Penderfynodd yr heddlu ar yr ail opsiwn a buan y canfuwyd cyllell cegin gyda gwaed ac ôl bys ar y llafn. Gwelwyd bod ôl y bys ar ben y gwaed yn hytrach na thano. Tystiai hynny i'r ffaith fod yr ôl bys wedi'i adael ar y llafn ar ôl i'r gyllell fod yng nghnawd y trancedig. Yn amlwg, felly, ôl bys y llofrudd oedd ar y llafn. Roedd y gwaed o'r un grŵp â gwaed Albert Richards, sef AB.

Dechreuwyd holi o dŷ i dŷ, a phan gyrhaeddwyd 103 Heol Pencoed doedd Mark Trayton Smith bryd hynny ddim o dan amheuaeth. O fewn tair wythnos, holwyd dros 12,000 o bobl. Yna daeth gwybodaeth a wnaeth gyfeirio'r heddlu tuag at Smith, yn cynnwys dwy alwad ffôn ddienw. Ddydd Llun, 20 Medi, holwyd Smith gan ddau dditectif, Howell Williams a John Shute. O'i holi teimlai'r ddau swyddog profiadol iddynt fod yn sgwrsio â'r llofrudd. Fe'i harestiwyd. Cafodd ei holi gan Pat Molloy, pennaeth CID heddlu Dyfed-Powys a Roy Davies, pennaeth Adran CID Llanelli.

Yn rhyfedd iawn, tua'r un adeg, dywedodd Peter Charles Williams o Borth Tywyn mai ef ddylai fod wedi profi min y gyllell am ei fod wedi bod allan gyda wejen Mark Trayton Smith. Y ferch dan sylw oedd Judith Middleton Davies. Er i Smith fynnu iddo ddod â'i berthynas â hi i ben fis Ionawr y flwyddyn honno, dywedodd hithau eu bod wedi cael cyfathrach rywiol yn rheolaidd hyd at wyth niwrnod i'r llofruddiaeth.

Yn y cyfamser gwelwyd bod yr ôl bys ar lafn y gyllell yn cyfateb i ôl bys Smith. Ond gwadodd y cyhuddiad o lofruddio Albert Richards. Yna gwnaeth gamgymeriad mawr. Ac yntau dan glo cyfaddefodd ei weithred wrth ddau garcharor arall, Nicholas George Morgan o Borth Tywyn ac Alan Henry Davies o Ben-y-bont ar Ogwr.

Yn yr achos traddodi, er mawr ofid i'r heddlu, rhyddhawyd Smith ar fechnïaeth o £5,000 ar yr amod ei fod i fyw gydag ewythr yn Kettering, Swydd Northampton, a chyflwyno'i hun i'r heddlu lleol yn ddyddiol. Bu'n rhaid i Roy Davies deithio yno i ofyn i'r heddlu arestio Smith unwaith eto. Gwnaed hynny a chadwyd ef yn y ddalfa i ymddangos yn Llanelli ar 22 Rhagfyr.

Safodd ei brawf yn Llys y Goron, Abertawe, fis Mawrth 1983. Erbyn hyn roedd yn barod i gyfaddef mai ef a drywanodd Albert Richards. Dywedodd iddo fynd i lawr i'r traeth gyda chyllell a ddefnyddiai i agor cregyn môr ond iddo orfod ei defnyddio i'w amddiffyn ei hun rhag ymosodiad gan Richards. Ni chredwyd ef ac fe'i cafwyd yn euog o lofruddiaeth a'i ddedfrydu i garchar am oes. Fe'i rhyddhawyd ar drwydded o'r carchar yn 1995 a symudodd i Weriniaeth Iwerddon.

Yna, yn ninas Galway yn gynnar iawn ddydd Sadwrn, 5 Mehefin 1999, treisiwyd menyw 21 oed yn Nimmo's Pier. Yn ddiweddarach, fe wnaeth y fenyw adnabod ei hymosodwr yn Eyre Square ac fe'i harestiwyd. Ei enw oedd Mark Trayton Smith.

Fis Tachwedd 1999 ymddangosodd Smith yn y *Central Criminal Court* yn Nulyn. Yno dywedodd y Barnwr, yr Ustus McCracken, mai'r elfen fwyaf brawychus oedd i Smith eisoes ladd rhywun ac iddo roi bywyd y ferch ifanc o Galway mewn perygl.

Dedfrydwyd ef i ddeuddeng mlynedd o garchar.

Llofruddiaeth Carol Ann Stephens

Merch fach chwe mlwydd oed oedd Carol Ann Stephens a lofruddiwyd gan rywun anhysbys. Ac er i rywun gael ei amau, ni chafwyd neb yn euog o'r drosedd. Ond tybed a wnaeth rhyw awdurdod uwch ymyrryd, gan i'r gŵr a amheuwyd o'r weithred ysgeler gael ei ladd mewn damwain car ychydig flynyddoedd yn ddiweddarach?

Merch fach gyfeillgar a siaradus oedd Carol Ann, a drigai gyda'i rhieni yn 6 Stryd Malefant, Cathays, Caerdydd. Roedd hi'n ddiwrnod olaf gwyliau'r Pasg – dydd Mawrth, 7 Ebrill 1959 – a danfonwyd hi gan ei mam ryw 140 llath o'i chartref i brynu sigaréts. A hithau mewn brys i fynd allan eto, gadawodd y sigaréts ar lawr y pasej a rhedeg allan. Yn ei llaw roedd cwdyn o losin gwyn. Galwodd ei mam ar ei hôl gan ei rhybuddio i beidio â bod yn hwyr. Roedd hi'n funud cyn canol dydd, a dyna oedd y tro olaf i'w mam ei gweld yn fyw.

Gwelwyd hi toc wedi deuddeg gan fachgen ysgol, Robert David Wilkins, 15 oed, yn curo ar ffenest car yn Heol Fairoak. Eisteddai dyn yn sedd y gyrrwr ond ni chymerai sylw o'r ferch. Daliai i ysgrifennu mewn llyfr. Disgrifiwyd y car gan y bachgen fel Morris Minor gwyrdd. Dywedodd bachgen arall, Kevin Northcott, chwech oed, a fu'n chwarae gyda Carol y bore hwnnw, iddi ddweud wrtho ei bod hi'n mynd am reid gyda dyn mewn car, ond ni welodd unrhyw un ddyn mewn car na Carol yn camu i mewn i gar. Ond dywedodd tyst arall, Rosemary Morgan, iddi weld y ferch yn teithio mewn car gwyrdd ar hyd Heol Fairoak wythnos cyn hynny, ar y cyntaf neu'r ail o Ebrill. Daeth y car i stop a gwelodd Carol yn dod allan yn yr union fan lle gwelwyd hi'n curo ar ffenest car ar ddiwrnod ei diflaniad. Roedd bachgen arall, William Woods, 10 oed, wedi gweld car gwyrdd yn agos i Stryd Malefant rhwng hanner dydd ac un o'r gloch ar y diwrnod hwnnw.

Dair wythnos wedi i Carol Ann ddiflannu, ychydig wedi dau o'r gloch y prynhawn ddydd Mawrth, 21 Ebrill, roedd syrfëwr, Stanley Rowland Jones, yn gweithio yn ardal Horeb, Pum Heol, Llanelli. Roedd yn chwilio am ffrwd fechan, ac wrth edrych dros ganllaw wrth ymyl heol wledig gwelodd gorff plentyn yn gorwedd yn y ffrwd. Cadarnhawyd mai corff Carol Ann oedd yno.

Ni chanfuwyd unrhyw anafiadau i'r gwddf na'r wyneb na'r un arwydd o ymosodiad rhywiol. Doedd dim olion *carbon monoxide* yn ei gwaed, gan ddileu'r posibilrwydd mai mwg o biben egsôst y car fu'n gyfrifol am ei marwolaeth. Doedd dim arwydd o wenwyn yn yr organau mewnol. Ond canfuwyd arwyddion yn awgrymu marwolaeth drwy dagu neu fogi. Roedd cynnwys y stumog yn awgrymu iddi farw rhwng 12.15 a 2.45 ar ddiwrnod ei diflaniad.

Canolbwyntiodd yr heddlu eu hymholiadau ar un dyn yn arbennig, un a anwyd yn Awstralia ond a drigai ar y pryd y tu allan i Abertawe. Daeth ei enw i'r fei drwy ymchwiliadau'r ditectif Delme Evans (Delme Bro Myrddin). Gweithiai'r dyn i gwmni *Cadbury's* ym Mryste a gyrrai gar Morris Minor tywyll i deithio De Cymru yn rhinwedd ei swydd. Cariai samplau o siocled yn ei gar, rhywbeth a allai ddenu plant.

Holwyd y dyn a dywedodd nad oedd yn teimlo'n dda ar

y bore dan sylw. Roedd wedi cludo cymydog i Gaerdydd. Dangosodd ar fap y daith yn ôl drwy Gaerdydd. Yn Stryd Adam roedd wedi stopio i gyfogi. Yn Stryd Dogfield bu'n sâl unwaith eto gan chwydu i gopi o bapur dyddiol. Taflodd y papur i'r gwter. Cyfaddefodd iddo stopio naill ai ar gornel Stryd Dogfield neu Stryd Malefant lle chwydodd unwaith eto i gopi o'r *Daily Express* cyn taflu'r papur a gadael Caerdydd. Cyfaddefodd ymhellach iddo weld plant yn chwarae yn ymyl ei gar yn Stryd Robert. Daeth yr heddlu i wybod fod Carol Ann ymysg y plant hynny.

Ond beth am y man y canfuwyd y corff? Roedd mewn lle diarffordd ac yn gofyn am wybodaeth leol. Roedd un o gwsmeriaid y dyn yn cadw caffi ym Mhontyberem heb fod ymhell o Horeb. Roedd y dyn hefyd wedi bod yn gweithio i gwmni gwaith brics, J & P Zammit. Roedd y gwaith o fewn 400 llath i'r fan lle canfuwyd y corff.

Er bod digon o dystiolaeth amgylchiadol i gysylltu'r dyn â'r ferch fach, ni chafwyd unrhyw dystiolaeth fforensig. Gan hynny, ni chyhuddwyd ef.

Ychydig flynyddoedd yn ddiweddarach bu farw gwraig y dyn mewn amgylchiadau rhyfedd. Arferai ef chwarae tric ar ei wraig drwy droi'r cyflenwad nwy i ffwrdd tra byddai hi'n hepian o flaen y tân. Byddai hi wedyn yn dihuno ac yn teimlo'n oer. Tipyn o hwyl, yn ôl y gŵr. Ond un dydd, wedi iddo ddiffodd y cyflenwad nwy a chredu i'w wraig fynd allan yn y cyfamser, trodd y tap ymlaen unwaith eto. Llenwodd y nwy yr ystafell a bu hithau farw. Ar ei charreg fedd mewn mynwent yng Nghwm Tawe honnir iddi farw drwy ddamwain gyda'r geiriau: '*who died accidentlly*' (*sic*).

Yn fuan wedyn bu farw'r dyn mewn damwain ffordd yn Llundain. Tybed a lwyddodd cyfraith ddwyfol lle methodd cyfraith ddynol?

Daniel Sullivan

Roedd Daniel Sullivan yn gawr o ddyn, ac fel *Big Dan* y câi ei adnabod. Ond os oedd yn fawr o ran corffolaeth, cachgi oedd y gŵr o Ddowlais – bwli a fyddai'n cam-drin ei wraig yn feddyliol ac yn gorfforol. Ac yn y pen draw fe'i llofruddiodd.

Ganwyd Sullivan yn 1888 ac yn 1909 priododd â gwraig weddw, Catherine Colbert. Os oedd ef yn enfawr, gwraig fechan ac eiddil oedd hi. Roedd ganddi eisoes ddau o blant, Frederick John, 6 oed, a Bridget Ann, 2 oed. Ganwyd iddi hi a'i gŵr newydd ddau o blant, Mary yn 1912 a Dan yn 1916.

Yn 1913 ymgartrefodd y teulu yn 20 Stryd Cwm Canol, Dowlais ger Merthyr Tudful. Gyferbyn â hwy trigai chwaer Catherine, Hannah Grant. Am wyth o'r gloch fore Sadwrn, 8 Gorffennaf 1916, sylwodd Hannah fod ei chwaer yn glanhau ffenestri'r tŷ. Ymddangosai'n ddigon hapus ei byd. Ond hwyrach bod hynny i'w briodoli i'r ffaith fod ei gŵr wedi mynd allan am y dydd ac y câi lonydd yn ei absenoldeb.

Y noson honno aeth Frederick, oedd yn 13 oed, allan i chwarae gyda ffrindiau. Gadawyd Bridget gyda'i mam ond aeth Catherine i'w gwely'n gynnar gan fynd â'r ddau blentyn arall gyda hi, un ohonynt yn faban. Wedi i Frederick adael dychwelodd Sullivan a bu raid i'r ferch fach naw oed fod yn dyst i'r olygfa fwyaf erchyll pan ddaeth ei

174

llystad i mewn i'r ystafell wely ac ymosod yn gïaidd ar ei mam. Clywodd ef yn bygwth y byddai corff yn gadael yr ystafell y noson honno.

Trawodd ei wraig â'i ddwrn yn ei hwyneb gan fynnu ei bod hi'n codi i wneud swper iddo. Llusgodd hi allan a dechrau ei chicio'n ddidrugaredd ar y llawr tra bod y ferch fach yn ceisio'i atal. Rhedodd honno allan am help ac wrth iddi fynd drwy'r drws gwelodd Frederick yn ymlwybro tuag adref. Aeth y ddau i chwilio am help. Methwyd â pherswadio cymydog i ddod i'w helpu ac roedd eu modryb Hannah wedi mynd allan. Felly, aeth Frederick at yr heddlu. Daeth y Rhingyll Thomas Davies a'r Arolygydd Lamb i'r tŷ, lle gwelsant Catherine yn gwaedu ar lawr, ei hwyneb yn drwch o waed a llwch glo a dim ond crys gwlanen – un dyn – amdani. Galwyd ar ddwy gymdoges, Ann Ryan a Mrs Collins, i'w helpu i gario Catherine i'r llofft i'w gwely.

Yn y cyfamser roedd Dan Sullivan yn y gegin yn magu'r baban ac yn ceisio rhoi'r argraff ei fod yn dad gofalus. Arestiwyd ef gan y Rhingyll Davies. Pan gafodd ei gyhuddo o achosi niwed corfforol difrifol i'w wraig, ceisiodd gyfiawnhau ei weithred drwy ddweud ei bod hi'n feddw byth a hefyd. Ond y gwir amdani oedd mai Sullivan oedd yn feddw. Roedd wedi prynu poteliad o rým yn nhafarn yr *Antelope* yn gynharach. O dan y Ddeddf Drwyddedau roedd hi'n anghyfreithlon i dafarnwr werthu, neu i rywun brynu, gwirodydd i'w hyfed y tu allan i'r dafarn ac eithrio rhwng canol dydd a 2.30 y prynhawn.

Ofer fu ymdrechion y meddyg, Dr Cecil Williams, a'i chwaer i'w hymgeleddu – bu Catherine farw yn ystod oriau mân y bore. O ganlyniad, newidiwyd y cyhuddiad yn erbyn Sullivan i un o lofruddiaeth.

Canfu Dr Williams, wrth gynnal archwiliad *post mortem*, fod pump o asennau Catherine wedi'u torri, dwy ohonynt mewn dau fan. Canfu fod anaf difrifol yng nghefn y benglog ac roedd asgwrn y pen wedi'i dorri. Canfu hefyd doriadau a chleisiau ar ei thalcen a chleisiau i'r ên, i'r glust chwith, yr ysgwydd chwith, y fraich a'r llaw chwith yn ogystal â chleisiau dwfn ar y coesau, y bol a'r pen-ôl. Sioc achosodd y farwolaeth, a daeth yr adroddiad i'r casgliad i Sullivan ymosod arni â'i holl nerth.

Agorwyd y cwest gan y Crwner, Rees Jenkins, ddydd Llun, 10 Gorffennaf yn y *Dowlais Inn*. Dychwelwyd dedfryd o lofruddiaeth yn erbyn Sullivan. Y dydd Gwener canlynol ymddangosodd gerbron Ynadon Merthyr Tudful a danfonwyd ef i sefyll ei brawf.

Yn rhyfedd iawn, cydymdeimlai rhai pobl leol â Sullivan. Hwyrach bod y ffaith i rywrai werthu gwirod iddo'n anghyfreithlon yn cyfrif am hynny i raddau. (Erlynwyd y tafarnwr am y drosedd honno. Esboniad hwnnw oedd i'w chwaer werthu'r botel i Sullivan er mwyn cael ei wared o'r dafarn.) Roedd hi'n ffaith, hefyd, fod Catherine wedi ymddangos gerbron yr ynadon am feddwdod ac mae'n bosibl ei bod hi'n dal i fynychu tafarndai tan ddiwrnod ei marwolaeth. Hwyrach i hynny ddylanwadu ar rai o'r trigolion. Beth bynnag, trefnwyd casgliad i alluogi Sullivan i dalu am fargyfreithiwr.

Ymddangosodd Sullivan gerbron yr Ustus Ridley ym Mrawdlys Abertawe ddydd Sadwrn, 22 Gorffennaf 1916, gyda J.A. Lovat Fraser yn erlyn a St. John Francis Williams yn amddiffyn. Ceisiodd Sullivan gael y cyhuddiad wedi'i leihau i un o ddynladdiad am ei fod yn rhy feddw i wybod beth oedd yn ei wneud ar y noson dan sylw. Ceisiodd ddadlau hefyd fod Bridget wedi ei gamddeall wrth feddwl iddo rybuddio y byddai corff yn gadael yr ystafell y noson honno. Ond roedd y ferch yn siŵr o'r hyn a glywodd a chyflwynodd ei thystiolaeth yn ddeallus iawn.

Ar ôl hanner can munud o gyd-drafod daeth y rheithgor i'r canlyniad fod Sullivan yn euog o lofruddio'i wraig. Er gwaethaf apêl, a deiseb gan 2,000 o bobl yn gofyn am drugaredd, gwrthododd yr Ysgrifennydd Cartref ymyrryd.

Ddydd Mercher, 16 Medi 1916, crogwyd Sullivan yng Ngharchar Abertawe gan John Ellis gyda George Brown yn ei gynorthwyo. Dywedodd y crogwr i *Big Dan* wynebu'r rhaff yn llawn arswyd. Ei ddymuniad olaf oedd i'w blant gael cartref gyda'i fam yn Iwerddon.

Cafodd, yn rhannol, ei ddymuniad. Danfonwyd Mary a Dan at eu mam-gu a'u codi mewn tyddyn yn Glengarriff, Iwerddon. Ond aeth Frederick i fyw at fodryb iddo ac aeth Bridget i Gartref Catholig.

Vivian Frederick Teed

Mae mwy nag un llofrudd wedi ffugio tröedigaeth ysbrydol er mwyn ceisio achub ei groen ei hun. Ond ymddengys fod tröedigaeth labrwr ifanc o Drefansel ger Abertawe yn un ddilys, gan iddo'i phrofi ar ôl i'r Ysgrifennydd Cartref wrthod diddymu'r gosb eithaf oedd yn ei aros.

Vivian Frederick Teed oedd yr olaf i'w ddienyddio yng Nghymru. Ond yr hyn sy'n fwy diddorol amdano yw iddo brofi tröedigaeth tra oedd yn gwrando ar emyn yn cael ei ganu ar y radio cyn gêm derfynol Cwpan Lloegr.

Cafwyd Teed yn euog o lofruddio William Williams, 73 oed, postfeistr Fforest-fach, Abertawe. Ar nos Wener, 15 Tachwedd 1957, caewyd y swyddfa am 6.00 ac aeth y ddwy gynorthwywraig adref. Roedd un o'r ddwy, Margaret John o Gwm-du, Abertawe, wedi cloi'r sêff a throsglwyddo'r allwedd i William Williams.

Pan gyrhaeddodd Margaret y bore wedyn cafodd fod drws y ffrynt ynghlo. Doedd dim ateb i'w galwadau, a phan syllodd drwy'r twll llythyrau gwelodd Mr Williams yn gorwedd yn y cyntedd lle'r oedd y golau'n dal ynghynn. Galwodd ar yr heddlu ar unwaith.

Cyrhaeddodd y Rhingyll Punter a'r Cwnstabl Tom Smith a llwyddodd y ddau i wthio'u ffordd i'r tŷ drwy ddrws y cefn a chael bod Mr Williams yn farw. Gorweddai'r corff mewn pwll o waed gydag anafiadau difrifol i'r pen. Ar y llawr roedd olion tracd gwaedlyd yn arwain at y drws. Roedd hi'n amlwg bod ymladd ffyrnig wedi digwydd ar waelod y grisiau gan fod plastr wedi disgyn o'r wal. Ar y llawr gorweddai morthwyl gwaedlyd â'i goes wedi torri. Gorweddai hosan sidan merch ag arni olion gwaed ar waelod y grisiau.

Gwelwyd bod y llofrudd wedi dod o hyd i allwedd y sêff ac wedi agor y drws mewnol. Roedd allwedd waedlyd yn y clo, ond doedd y sêff ei hun ddim wedi'i chyffwrdd. Amcangyfrifwyd i'r farwolaeth ddigwydd tua deg neu ddeuddeg awr yn gynharach.

Galwyd ar Scotland Yard a chymerwyd gofal o'r achos gan y Ditectif Uwcharolygydd George Miller a'r Ditectif Ringyll John Cummins. Dechreuwyd holi o dŷ i dŷ ar fore Sul. Roedd y capel yn yr un stryd â'r Swyddfa Bost dan ei sang. Sylw Miller wrth y wasg oedd: *'We have seen dozens of people, in spite of difficulties arising on a Welsh Sunday'*.

Ymhlith y rhai a wirfoddolodd wybodaeth roedd gŵr ifanc o'r enw Ronald Williams. Dywedodd iddo fod, rai wythnosau'n gynharach, yng nghwmni Vivian Teed ac i hwnnw ddweud ei fod yn bwriadu cyflawni lladrad yn Swyddfa Bost Fforest-fach. Yna, yn nhafarn Cwmbwrla ar y nos Sadwrn wedi'r llofruddiaeth, roedd Teed wedi dweud iddo wneud y 'job' yn Fforest-fach ond iddo adael yno'n waglaw ar ôl gorfod taro'r postfeistr. Ychwanegodd iddo wisgo sanau am ei ddwylo ac iddo adael un ohonynt ar ôl.

Trigai Teed, gŵr sengl 24 oed, gyda'i rieni yn 19 Manor Road, Trefansel. Roedd ef a'i frodyr John, Stanley a Douglas ynghyd â'i chwaer, Sylvia yn Gymry Cymraeg ar ôl iddynt dreulio blynyddoedd yr Ail Ryfel Byd ar ffermdai ym Meidrim, Sir Gaerfyrddin. Fel labrwr, roedd Vivian wedi gweithio i gwmni oedd wedi gwneud gwelliannau i Swyddfa Bost Fforest-fach ychydig fisoedd cyn y llofruddiaeth.

Daethai tad-cu'r teulu dan ddylanwad Diwygiad 1904, ac felly hefyd ei ferch, mam Teed. Ganwyd iddi hi a'i gŵr 11 o blant ond bu farw dau ohonynt yn fabanod. Yn eu tro, cafodd wyth o'r naw oedd yn weddill dröedigaeth, pawb ond Douglas a fu farw yn ystod ffrwgwd yn ei gartref pan drywanodd ei hun â chyllell. Mae un brawd, Stanley, yn dal i bregethu'r Efengyl.

Arestiwyd Teed a buan y cyfaddefodd iddo ladd William Williams. Pan gafodd fynediad i'r Swyddfa Bost ni ddisgwyliai weld Williams yno. Ond roedd hwnnw wedi'i weld a, hwyrach, ei adnabod ac ymosododd Teed arno. Ymladdodd yr hen ŵr yn ôl a thrawodd Teed ef â'r morthwyl nes iddo ddisgyn i'r llawr. Nid oedd wedi bwriadu ei ladd.

O dan y Ddeddf Dynladdiad 1957 ceid dau fath o lofruddiaeth, sef llofruddiaeth seml a llofruddiaeth ddihenydd, neu *simple* a *capital*. Roedd llofruddiaeth ddihenydd, wrth gwrs, yn golygu'r gosb eithaf. Cyhuddwyd Teed o brif lofruddiaeth, sef llofruddiaeth wrth gyflawni neu wrth hyrwyddo lladrad. Ymddangosodd ym Mrawdlys Caerdydd gerbron yr Ustus Salmon gyda William Mars Jones, C.F. yn erlyn ac Elwyn Jones, C.F. yn amddiffyn. Plediodd Teed yn ddieuog ar sail salwch meddwl. Golygai hynny gyfrifoldeb lleiedig. Ond wedi ymron dair awr o gyd-drafod, cafodd y rheithgor ef yn euog o brif lofruddiaeth. Am y tro olaf ond un yng Nghymru, gwisgodd y Barnwr y capan du a chyhoeddi y câi Teed ei ddienyddio. Yn yr achos olaf i'r cap du gael ei wisgo yng Nghymru, wedi achos Edgar Valentine Black, diddymwyd y ddedfryd.

Collodd Teed ei apêl a phennwyd dydd ei grogi – dydd Mawrth, 6 Mai, dair wythnos cyn ei ben blwydd yn 25 oed.

Cyflwynwyd deiseb i'r Ysgrifennydd Cartref yn crefu arno i leihau'r gosb. Dridiau cyn dyddiad y dienyddio clywodd Teed na wnâi'r Ysgrifennydd Cartref newid ei feddwl. Clywodd y penderfyniad ei hun ar y newyddion un o'r gloch ar radio yn ei gell.

Hwn oedd diwrnod rownd derfynol Cwpan F.A. Lloegr yn Wembley rhwng Bolton Wanderers a Manchester United. Y flwyddyn gynt torrwyd ar draddodiad pan na chanwyd yr emyn 'Abide with Me' cyn y gêm. Ond yn 1958 fe'i canwyd, a hynny gyda mwy o arddeliad nag arfer. Wrth i'r canu gynyddu daeth rhyw dawelwch tangnefeddus dros Teed a dechreuodd ymuno yn y canu, ei lais yn cryfhau wrth fynd ymlaen.

Weddill y prynhawn bu'n gwrando ar sylwebaeth y gêm yn ddyn gwahanol. Un o'r swyddogion a ofalai amdano oedd Oliver Davies o Ffostrasol, eisteddfodwr brwd a feddai ar lais bariton godidog. Wedi i'r gêm orffen, gofynnodd Teed iddo ganu'r emyn eto. Oedd, roedd Vivian Teed, fel bron y cyfan o'i deulu, wedi profi tröedigaeth. Ond yn wahanol i'r lleill, fe'i profodd yng nghell y condemniedig.

Pan glywodd ei fam y newyddion gan Reolwr y Carchar fe lawenhaodd. Roedd yn well o lawer ganddi weld ei mab yn cael ei grogi'n gadwedig nag yn gadael carchar ymhen deng neu ddeuddeng mlynedd heb ei achub. Yn ei lythyr olaf at ei fam dywedodd Teed: 'Wna i ddim dweud nad ydw i'n ofnus, rwy'n ofnus iawn. Rhaid i bawb fod ag ofn marw. Petaen ni ddim, fydden ni ddim yn ymladd cymaint er mwyn byw. Does gen i ddim cywilydd cyfaddef fy ofn i chwi, ond chaiff neb yma ei weld'.

Crogwyd Vivian Frederick Teed yng Ngharchar Abertawe fore Mawrth, 6 Mai 1958, ac yn ôl Rheolwr y Carchar, 'cyflawnwyd y dienyddio yn gywir ac yn gyflym'.

Campbell Caledfryn Thomas

Cymharwyd eiddigedd gan rywun â 'bwystfil llygatwyrdd'. A'r bwystfil hwnnw a yrrodd ddyn o Lanelli i ladd ei wraig. Ond yn groes i ddisgwyl llawer, fe'i cafwyd yn euog o ddynladdiad yn hytrach nag o lofruddiaeth.

Gweithiai Campbell Caledfryn Thomas, o 21 Heol y Bryn, fel *roll turner* yn Ffowndri Nevill yn y dref. Fis Rhagfyr, 1940, priododd ag Alfreda Margaret (Maggie) Pugsley, merch hynaf yr *Hope and Anchor*, Glan-y-Môr, ac ar wahân i gyfnod byr yn Felin-foel, bu'r ddau yn byw gyda'i rhieni hi yn y dafarn.

Ddiwedd Gorffennaf 1944, pan oedd Thomas yn 27 oed a Maggie'n 23, fe wahanodd y ddau. Aeth ef i fyw gyda'i rieni ac arhosodd Maggie yn y dafarn gyda'i dwy chwaer iau. Roedd hi'n adeg rhyfel, a'r *Hope and Anchor* yn fan cyfarfod poblogaidd iawn i aelodau'r lluoedd arfog, yn cynnwys milwyr o Awstralia, Seland Newydd a'r Unol Daleithiau.

Beiai Thomas y gwahanu ar ymyrraeth ei rieni-yng-nghyfraith. Ddydd Sul, 6 Awst, galwodd yn y dafarn i gasglu'i ddillad heb weld Maggie. Drannoeth galwodd eto a bu'n sgwrsio â hi. Galwodd eto gyda'r nos yng nghwmni pianydd dall a aeth ati i ddiddanu'r cwsmeriaid yn y *singing room*.

Roedd y chwiorydd wedi bod yn y sinema a'r ieuengaf wedi bod yn cyfeillachu â milwr o Seland Newydd. Gan fod hwnnw'n gadael y bore wedyn, penderfynodd y tair chwaer fynd i'r stesion i ffarwelio ag ef. Ond doedd hyn ddim wrth fodd Thomas ac aeth ar ôl ei wraig i'w hebrwng yn ôl i'r *Hope and Anchor*.

Yn ddiweddarach roedd Maggie'n siarad ag aelod o Lu Awyr Awstralia ger drws ffrynt y dafarn. Yn sydyn, clywyd sgrech a rhedodd y tad o'r bar. Gwelodd ei ferch yn pwyso yn erbyn ffrâm y drws ac yn dal ei brest. Pwysai Thomas yr ochr arall i'r drws ac ar lawr gorweddai cyllell. Helpwyd y ferch i mewn i'r tŷ gan ei mam ond cludwyd hi'n fuan wedyn mewn *jeep* Americanaidd i Ysbyty Llanelli. Bu farw cyn pen y daith. Canfuwyd clwyf fodfedd o hyd, hanner modfedd o led a phum modfedd a hanner o ddyfnder yn ei brest. Roedd y gyllell wedi torri dwy asen ac wedi treiddio i'r ysgyfaint.

Yn y dafarn cyfaddefodd Thomas wrth gyfaill iddo drywanu ei wraig, ond ni chafodd ei arestio tan y bore wedyn yng nghartref ei rieni gan y Dirprwy Brif Gwnstabl William Prothero a'r Arolygydd David John Jones. Yn ei boced canfuwyd nodyn yn ei lawysgrifen ei hun: *'I took her with me. If I don't go after her, it will be bad luck on my people and on hers'*. Fe'i cyhuddwyd o lofruddiaeth gan y Ditectif Ringyll William Lloyd. Ond cyn i Thomas fedru ymateb, dioddefodd drawiad ar ei galon a galwyd meddyg i'w drin. Fe'i cyhuddwyd yn ffurfiol yr eilwaith a gwnaeth ddatganiad.

Mynnodd Thomas eto mai ar ei rieni-yng-nghyfraith oedd y bai am iddo ef a'i wraig wahanu ddeng niwrnod yn gynharach. Dywedodd iddo awgrymu i Maggie, pan alwodd am ei ddillad, y gallai'r ddau ohonynt fyw mewn dwy ystafell y cawsai hyd iddynt. Ond gwrthododd hithau'r syniad yn ddi-oed gan ddweud na fwriadai fyw gydag ef fyth eto. Aeth Thomas oddi yno i dafarn y *Bryn*

Terrace lle yfodd beint o gwrw. Ni allai gael mwy gan fod y dafarn yn sych. Yna aeth gyda'r pianydd dall yn ôl i'r *Hope and Anchor*. Esboniodd sut yr ataliodd ei wraig rhag mynd gyda'i chwiorydd i hebrwng milwr i'r stesion. Roedd wedi dweud wrth ei mam: *'Next time my wife goes anywhere today, I will follow'*. Yna aeth adref i nôl cyllell a wnaeth ei hun yn y gwaith.

Pan ddychwelodd i'r dafarn gwelodd ei wraig yn sgwrsio â milwr. Gwnaeth hyn i'w waed ferwi. Tynnodd y gyllell o'i boced a thrywanodd hi yn ei brest. Doedd ganddo ddim bwriad i'w lladd, meddai.

Ddydd Mawrth, 8 Awst, cynhaliwyd llys arbennig yng Ngorsaf Heddlu Llanelli. Roedd Thomas mewn cyflwr mor wael fel y bu'n rhaid cael meddyg yn bresennol. Penderfynwyd ei gadw yn y ddalfa ac fe'i danfonwyd i Garchar Abertawe.

Cynhaliwyd angladd Maggie ddydd Gwener, 11 Awst, a daeth 500 o bobl ynghyd i weld yr angladd yn codi o'r *Hope and Anchor*. Claddwyd ei gweddillion ym Mynwent y Bocs gyda'r Parchedig T. Perkins o Eglwys Gynulleidfaol y Parc a'r Parchedig F.M. Jones, Curad Eglwys Sant Paul, yn gwasanaethu.

Er i Thomas ddioddef trawiad ar y galon yn ystod ei ymddangosiad cyntaf, roedd yn gwbl hunanfeddiannol yn y gwrandawiad yn Neuadd y Dref ddydd Mercher, 19 Awst. Ond ei gyfreithiwr, A.G.T. Brown, oedd yn anhwylus y tro hwn, ac yn absennol. Roedd wedi mynd i gyfarfod yn Llundain ac wedi dal annwyd o ganlyniad i'r oerni. Datblygodd hwnnw'n niwmonia a bu farw ar 22 Awst yn 52 oed.

Traddodwyd Thomas i sefyll ei brawf ac ar ddydd Llun, 22 Tachwedd 1944, ymddangosodd ym Mrawdlys Caerfyrddin gerbron yr Ustus Tucker. Ar ran y Goron cafwyd Mr Carey

Evans a Mr Edmund C. Jones. Yn cynrychioli'r diffynnydd roedd Mr Gerwyn Thomas a Mr Leslie Williams. Roedd y deuddeg rheithor oll yn ddynion, tri ohonynt yn byw yn Llanelli. Unwaith eto, trawyd Thomas yn wael a derbyniodd driniaeth feddygol.

Ceisiodd yr Erlyniad ddefnyddio'r nodyn a gafwyd ym mhoced Thomas fel tystiolaeth o'i fwriad i ladd ei wraig a rhoi pen ar ei fywyd ei hun. Roedd y ffaith iddo adael y dafarn i nôl cyllell yr oedd wedi'i llunio ei hun hefyd yn dangos bwriad.

Esboniodd Thomas mai ei fwriad oedd codi ofn ar ei wraig ac mai ar ddamwain y trywanodd hi. Roedd wedi bwriadu rhoi'r nodyn iddi gan ddweud na fedrai wneud yr hyn a ysgrifennwyd.

Ar ôl 55 munud o gyd-drafod, dychwelodd y rheithgor ddedfryd o ddynladdiad. Cyn cyhoeddi'r gosb dywedodd y Barnwr: 'Dyma achos sy'n enghraifft o'r stori gyfarwydd am ddyn yn cael ei yrru i eithafion gan genfigen, nid o angenrheidrwydd o achos cweryl, ond trwy ymyrraeth rhieni'r fenyw, a hyn, efallai, fu'r rheswm am y gwahanu.' Dedfrydwyd Thomas i ddeng mlynedd o benyd-wasanaeth *(penal servitude)*.

Bu cryn ddadlau yn Llanelli ynglŷn â'r ddedfryd. Credai rhai i'r rheithwyr fradychu eu llw gan fod y dystiolaeth yn dangos yn glir i Thomas lofruddio'i wraig. Efallai i rai ohonynt gael eu dylanwadu gan ystyriaethau eraill – y tebygolrwydd, er enghraifft, y câi'r diffynnydd ei grogi o'i gael yn euog o lofruddiaeth. Roedd Thomas yn gymeriad dymunol, mae'n debyg, ac efallai i hyn fod yn hysbys i'r tri rheithiwr o Lanelli.

Heddiw mae'r *Hope and Anchor* yn dal i sefyll ond erbyn hyn mae'r adeilad yn glwb, sef y *KK Club*. Ac mae'r drws lle digwyddodd yr ymosodiad wedi ei gau i fyny.

George Thomas

Tua hanner awr wedi naw nos Sul, 19 Tachwedd 1893, roedd y Rhingyll James Jones ar ddyletswydd yn Stryd y Brenin, Caerfyrddin, pan ddaeth gŵr ifanc ato a dweud iddo ladd merch a fu yn ei gwmni. Dywedodd iddo'i gadael yn farw ar y ffordd ger Seilam Unedig y Siroedd.

Aeth y swyddog â'r gŵr ifanc i Orsaf yr Heddlu yn Cambrian Place, ac o gael golwg fanwl arno gwelwyd gwaed ar ei ddwylo a'i ddillad. Unwaith eto, cyfaddefodd iddo lofruddio merch ifanc rhwng fferm Pentremeurig a Thawelan a bod rasal wrth ymyl ei chorff.

Aeth yr Uwcharolygydd Smith a Dr R.L. Thomas yng nghwmni'r Rhingyll mewn cab a huriwyd o'r *Old Plough*, ac yn y man a ddisgrifiwyd gan y gŵr ifanc gwelwyd corff merch yn gorwedd mewn pwll o waed gyda rasal agored ag olion gwaed arni gerllaw. Gwelwyd bod dwy archoll ddofn y tu blaen i'r gwddf gyda'r pen bron iawn wedi'i wahanu oddi wrth y corff. Yn ddiweddarach, yn y marwdy, gwelwyd bod pennau'r bysedd ar y ddwy law wedi'u hollti'n ddarnau, arwydd sicr i'r ferch geisio'i hamddiffyn ei hun rhag y rasal.

George Thomas oedd enw'r gŵr ifanc, adfilwr 25 oed a drigai gyda'i rieni yn *3 Job's Well*, Tre Ioan. Roedd yn un o ddeg o blant a chawsai addysg dda yn y *Model School* ac yn Ysgol Breifat Alcwyn Evans. Bu'n gweithio fel negesydd gyda W.R. Evans yn yr Emporiwm am gyfnod cyn mynd yn filwr yn y *Royal Artillery*. Fe'i gwnaed yn Ysgolfeistr Cynorthwyol gyda gwarchodlu'r 7th *Company, Western Division* ac enillai swllt y dydd yn ychwanegol am hynny. 3s.3d oedd ei incwm dyddiol, gyda'r fyddin yn cadw 4½d yn ôl. Pan ddychwelodd i Gaerfyrddin ym mis Awst 1893, trosglwyddwyd ef i'r *Army Reserves* a chafodd £21 fel tâl ymadael. Ond gwariodd y cyfan ar ddiod feddwol.

Dywedodd Thomas wrth yr heddlu mai Mary Jane Jones, 15 oed, oedd y trancedig. Merch i William Jones, gwehydd o Heol Albert, Fforest-fach, Abertawe oedd Mary Jane, yr hynaf o naw o blant. Roedd hi wedi bod yn cadw tŷ i'w modryb, Mrs Rosie Dyer, 67 oed, yn Nhawelan ers dwy flynedd. Byddai hefyd yn casglu rhent oddi wrth denantiaid ei modryb gan fod honno'n berchen ar nifer o dai yn lleol. Roedd hi ar fin dathlu ei phen blwydd yn 16 oed pan lofruddiwyd hi. Ddeg wythnos yn gynharach bu farw un o'i brodyr mewn damwain tram yn Abertawe.

Roedd ffrind gorau Mary Jane, sef Mary Morris, yn ferch i dafarn y *Coopers* yn Heol Awst, Caerfyrddin, ac yno yr arferai George Thomas yfed. Ac yno hefyd y gwelodd Mary Jane a syrthio mewn cariad â hi. Ond doedd ganddi hi ddim diddordeb ynddo ef a chlywodd Mary Morris Thomas yn bygwth ei lladd petai'n ei gweld gyda rhywun arall.

Ar y dydd Sul tyngedfennol hwnnw aeth Mary Jane i'r *Coopers* yn hytrach nag i'r capel a chafodd de gyda'i ffrind. Treuliodd weddill y prynhawn yng nghwmni honno yn Five Fields, Tre Ioan. Yna aeth i gartref modryb arall, Ann Phillips, lle'r oedd ei brawd, David Jones, 13 oed, yn byw. Ar ei ffordd adref oddi yno byddai gofyn iddi basio cartref George Thomas. Hebryngodd ei brawd hi ran o'r ffordd, rhag ofn y deuai ar ei draws. Yna cerddodd ymlaen ar ei phen ei hun am Dawelan. Fe'i gwelwyd yn pasio

Pentremeurig gan ddwy hen ferch oedd yn byw yno, Rachel a Jane Scurlock. Yn ddiweddarach, gwelodd Jane ddyn yn rhedeg i gyfeiriad y dref.

Yn anarferol iawn roedd George Thomas, yn gynharach y noson honno, wedi bod yn yr oedfa yng nghapel Heol Awst lle'r oedd ei dad yn aelod ffyddlon, ond gadawodd rhwng y bregeth a'r emyn olaf. Tystiodd hen ffrind ysgol, David Jones, i Thomas fenthyca rasal oddi wrtho ddwywaith, yr eildro ar fore'r llofruddiaeth.

Gwnaeth Thomas gyfaddefiad llawn i'r heddlu. 'Buaswn wedi ei lladd yn gynt,' meddai, 'ond roedd mwffler am ei gwddf. Ceisiodd amddiffyn ei hun . . . roedd hi'n sgrechian. Gosodais fy mhen-glin ar ei gwddf ac yna torri ei gwddf â'r rasal.'

Yn ystod y cwest ymgasglodd torf y tu allan yn gweiddi am waed Thomas. Fe'i traddodwyd i sefyll ei brawf gerbron yr Ustus Kennedy ym Mrawdlys Caerfyrddin ddydd Llun, 21 Ionawr 1894. Cyflwynwyd llawer o'r dystiolaeth yn Gymraeg. Doedd dim amheuaeth ynglŷn ag euogrwydd Thomas, ond honnwyd ei fod yn wallgof a bod hanes o salwch meddwl yn y teulu. Mynnai Dr Pringle o Seilam Morgannwg fod Thomas yn *homicidal maniac* ond tystiodd dau feddyg arall, Dr Rees Davies a Dr Forbes, wedi iddynt ei archwilio yng Ngharchar Caerfyrddin, ei fod yn ei iawn bwyll. Am ddiwrnod yn unig y parhaodd yr achos cyn i'r rheithgor ddychwelyd dedfryd unfrydol o 'euog'. Dedfrydwyd ef i'w grogi yng Ngharchar Caerfyrddin.

Treuliodd Thomas weddill ei oes fer yn y carchar yn darllen *Taith y Pererin* a *The Life of Christ*, ond gwrthododd dderbyn cymundeb tan y diwrnod cyn ei ddienyddio. Credai nad oedd yn gymwys i wneud hynny.

Serch hynny, nid ymddangosai fel pe bai'n gofidio dim am ei dynged a byddai'n ymddwyn fel pe na bai wedi troseddu mewn unrhyw fodd. Clywyd ef yn canu caneuon poblogaidd y dydd, fel *Maggie Murphy's House* a *Daisy Bell*. Dywedodd Rheolwr y carchar na welsai neb yn debyg iddo – doedd dim yn mennu arno o gwbl.

Wrth iddo gerdded yn yr orymdaith o'i gell i'r crocbren ar 13 Chwefror 1894, sylweddolodd nad oedd yn cerdded mewn step â Chaplan y Carchar a gerddai o'i flaen. Newidiodd ei gam mewn dull militaraidd!

Claddwyd Mary Jane Jones ym Mynwent Llan-llwch ger Caerfyrddin.

Llofruddiaeth Thomas Thomas

Petai Thomas Thomas heb fod yn weithiwr mor gydwybodol, mae'n debyg na fyddai wedi ei lofruddio ar nos Sadwrn, 12 Chwefror 1921. Gweithio'n hwyr yn ceisio cysoni cownts siop y *Star*, y Garnant, Sir Gaerfyrddin oedd Thomas pan lofruddiwyd ef.

Thomas oedd rheolwr y siop gwerthu-pob-peth yn y pentref. Roedd yn ddyn sengl ac yn fab i grydd enwog o Bontantwn, Caerfyrddin, a lletyai gyda Thomas Cooper Mount-Stevens a'i wraig, Emily, yn 2 Glanyrafon Villas, hanner milltir o'r siop yn y Stryd Fawr. Morgan William Jeffreys oedd perchennog y siop a thrigai ef o fewn tafliad carreg iddi.

Erbyn 1921 roedd Thomas wedi gwasanaethu'r cwmni am bymtheng mlynedd. Yn 44 oed roedd ei iechyd braidd yn fregus ac roedd yn gloff ac yn gwbl fyddar mewn un glust. Roedd wedi derbyn triniaeth i'w drwyn hefyd. Disgrifiwyd ef fel dyn tawel, hollol ddiniwed, heb elyn yn y byd.

Gweithiai pump o gynorthwywyr yn y siop, Mary Phoebe Jones, Nellie Helen Richards oedd yn ferch i ringyll lleol, a thri bachgen, Jack Morris, Emlyn Richards a Trevor Morgan. Pan adawodd Mary Jones siop y *Star* ar y nos Sadwrn roedd hi tua 9.45. Roedd Thomas Thomas wrthi'n gorffen y cownts. Sicrhaodd Mary fod drws y llawr isaf wedi'i folltio ac aeth allan drwy'r drws ochr gan ei dynnu ar ei hôl.

Ychydig funudau'n ddiweddarach roedd Diane Jane Bowen yn dod allan o'r siop ffrwythau gerllaw gyda'i dau blentyn a merch ifanc arall pan glywodd sgrech o gyfeiriad y *Star* a sŵn fel petai rhywun yn symud bocsys. Yna clywodd sŵn traed a rhywun yn rhedeg i fyny'r grisiau. Roedd y siop yn dal yn olau ac aeth y ferch oedd yng nghwmni Mrs Bowen draw i edrych drwy'r ffenest, ond doedd neb i'w weld. Ar hynny, dechreuodd ci Mrs Morgan Jeffreys gyfarth yn afreolus.

Am 10.30 sylwodd perchennog y siop ffrwythau a'i chynorthwywraig, Miss Stammers, fod golau yn dal yn siop y *Star*. Sylwodd Mary Jones ar y golau hefyd wrth iddi ddychwelyd adref o gyngerdd am 11.30. Ac yn ôl Morgan William Jeffreys ac un o'i feibion, roedd y golau'n dal ynghynn tua chanol nos.

Y bore wedyn sylwodd Jeffreys fod y drws a arweiniai i lawr isaf y siop ar agor a'r golau ynghynn o hyd. Galwodd ar Thomas heb gael ateb ac aeth at Mary Jones i ofyn iddi agor y siop. Aeth Mary i mewn ar ei phen ei hun a gwelodd, ar ben y grisiau, fod drws y sêff yn agored. Y tu ôl i'r cownter nwyddau gorweddai ei meistr mewn pwll o waed.

Cyrhaeddodd y Rhingyll Richards a'r Cwnstabl Thomas ac yna Dr George E. Jones. Yn agos i'r corff canfuwyd brwsh llawr, heb y goes, â gwaed arno. Gwelwyd bod un o gyllyll y siop ar goll hefyd. At hynny, canfuwyd olion gwaed ar follt haearn y drws a arweiniai i'r cefn o'r llawr isaf. Amcangyfrifwyd i Thomas gael ei lofruddio rhwng 10.00 y noson cynt ac 1.00 y bore.

Gwnaed yr archwiliad *post mortem* gan Dr George a Dr Rhys, Glanaman. Gwelwyd bod dannedd gosod Thomas wedi'u bwrw allan a darn o gaws wedi'i wthio i'w geg er mwyn ei dawelu. Roedd ôl ergydio ffyrnig ar ei gorff, cleisiau ar ei arlais, a'r benglog wedi'i thorri ar yr ochr dde. Roedd gwythïen fawr y gwddf a'r wythïen garotid wedi'u torri. Ond yn rhyfedd iawn canfuwyd toriadau ar ei fol nad oedd yn cyfateb i'r toriadau yn ei ddillad. Roedd ei drowsus wedi'i agor yn ogystal â botymau ei gardigan, a'i fest a'i grys wedi'u torchi.

Cyrhaeddodd y Ditectif Arolygydd Nichols a'r Ditectif Ringyll Cummins o Scotland Yard, ond roedd llawer o'r gwaith eisoes wedi'i wneud gan yr heddlu lleol. Canfuwyd cyllell a choes brwsh gan fab i heddwas lleol a'i ffrind yng nghyffiniau nant fechan y tu ôl i waith alcam yn yr ardal. Dywedodd Mary Jones a Helen Richards fod y gyllell yn debyg i'r un oedd yn eisiau o'r siop ac adnabu Thomas David Emlyn Richards y goes brwsh fel un y siop hefyd.

Crwner y Sir, T.W. Nicholas, a agorodd y cwest yn Festri Bethel Newydd, ugain llathen o siop y Star, y capel lle'r arferai'r Parchedig Towyn Jones A.S. bregethu. Ond ar ôl clywed tystiolaeth yn ymwneud ag adnabyddiaeth penderfynwyd gohirio'r gwrandawiad am bythefnos ac ail ymgynnull ar Ddydd Gŵyl Dewi.

Doedd dim tystiolaeth i'r llofrudd dorri i mewn i'r siop. Felly, y dybiaeth oedd i Thomas agor y drws i'r ymosodwr neu iddo ddod i mewn cyn i Mary Jones ei folltio neu yn ystod y pum munud y bu hi allan o'r siop. Tystiodd Albert William Hurley, arolygydd gyda'r cwmni, y dylai fod £128.0s.2½d yn y sêff, arian dau ddiwrnod. Roedd y cyfan wedi ei ddwyn. Doedd neb wedi cyffwrdd ag arian rhydd oedd ar y cownter na'r arian oedd ym mhoced Thomas Thomas. Cynigiodd cwmni Star Supply wobr o £100 am wybodaeth a arweiniai at ddal y llofrudd.

Holwyd teulu Morgan William Jeffreys yn fanwl, ac felly hefyd Thomas Cooper Mount-Stephens. Ni allai hwnnw esbonio pam na wnaeth ofidio bod Thomas heb gyrraedd adref ar y noson dan sylw.

Claddwyd Thomas Thomas ddydd Iau, 17 Chwefror, a chaewyd holl fusnesau'r pentref fel arwydd o barch. Cododd yr angladd o lety Thomas gyda'r Parchedig John Thomas, Bethesda a'r Parchedig William Williams, Ficer y Garnant yn cymryd rhan. Cyflwynodd ei gyflogwyr blethdorch ar ffurf seren yn mesur 5½ troedfedd. Claddwyd ei weddillion ym Mynwent Eglwys Llangyndeyrn gyda'r Ficer, Lewis Davies a'r Curad, D.T. Jones yn gwasanaethu. Wrth yr organ roedd cyn-brifathro Thomas, a chwaraeodd *'I Know that My Redeemer Liveth'* ac *'Oh! Rest in the Lord'*. Claddwyd ef wrth ochr ei rieni ac ar lan y bedd canwyd 'Bydd myrdd o ryfeddodau'.

Wedi i un o'r tystion a weithiai yn y siop, Trevor Morgan, dyfu'n ddyn a phriodi fe aeth ef a'i wraig, Magi, i gadw'r *Lamb and Flag* yn y Garnant. Fe ddaeth Magi'r *Lamb* yn adnabyddus yn yr ardal. Yn 1954 cafodd Trevor ei hun yn aelod o'r rheithgor yn achos Ronnie Harries ym Mrawdlys Caerfyrddin.

Ond ni chafodd neb ei ddwyn i gyfrif am lofruddiaeth Thomas Thomas, a gollodd ei fywyd am ei fod yn rhy gydwybodol.

John Webber

Nid yn aml y bydd llofrudd yn gadael unrhyw beth adeiladol ar ei ôl. Ond yn achos John Webber, roedd baled gan rywun dienw am ei weithred ysgeler yn cael ei chanu ar strydoedd Caerdydd hyd yn oed cyn iddo gael ei grogi.

Y gŵr a ddaeth wyneb yn wyneb â dicter John Webber oedd Edward Stelfox. Ganwyd Stelfox yng ngogledd-orllewin Lloegr yn 1820 ond symudodd yn ddyn ifanc i weithio i gwmni adeiladu yn ne Cymru. Yno y cyfarfu â'i ddarpar wraig ac fe'u priodwyd yng Nghaerfyrddin ym mis Ebrill, 1846. Ymsefydlodd y ddau yng Nghaerdydd gan gadw'r dafarn *The Museum* ac yna'r *Marquis of Bute* yn Heol Bute.

Roedd Stelfox yn ddyn amryddawn. Yn ogystal â bod yn ddyn busnes craff, gallai drafod ffrwydron. Fe'i cyflogid o bryd i'w gilydd gan awdurdodau *Trinity House* i ddarnio llongau a oedd wedi'u dryllio ar greigiau'r arfordir. Golygai hyn ei fod hefyd yn nofiwr tanddwr medrus. Ar ben hynny, ymddiddorai mewn stwffio creaduriaid marw ac roedd ystafelloedd y gwesty'n llawn o enghreifftiau o'i grefft. Fe'i disgrifiwyd mewn un papur dyddiol fel '*dynamite blaster and taxidermist*'.

Fel pe na bai hynny'n ddigon, roedd Stelfox hefyd â'i fys yn y busnes betio a gwelid ef yn aml mewn rasys cŵn a cheffylau. Daliai hefyd hawliau pysgota Ymddiriedolaeth

Bute ac adeiladodd fwthyn wrth ochr yr harbwr gyda chaban wrth ei ymyl lle gwerthai bysgod a ddaliai ei hun. Roedd ganddo gwch pysgota at y gwaith a byddai hefyd yn rhentu hawliau pysgota i eraill. Yn ôl pob sôn roedd yn ddyn cyfoethog.

Ganwyd i Stelfox a'i wraig dri o blant. Arhosodd un ferch gartref ond ymfudodd y llall i America. Collodd mab iddynt ei fywyd drwy foddi. Erbyn diwedd 1874 roedd y berthynas rhwng Stelfox a'i wraig wedi dirywio i'r fath raddau fel y gadawodd ef a mynd i fyw at Annie James, cyn-forwyn yn y *Marquis of Bute*. Trigai'r ddau yn agos i'r Doc Dwyreiniol, yn *The Fish Hut, East Moors*.

Un o'r pysgotwyr a âi yno oedd John Webber, cyn-weithiwr i Stelfox. Roedd Webber yn pysgota heb dalu'r rhent gofynnol ac aeth yn gweryl rhwng y ddau. I wneud pethau'n waeth, roedd Stelfox wedi ei wrthod bob tro y ceisiodd brynu hawliau oddi wrth Ymddiriedolaeth Bute.

Penderfynodd Webber angori ei long bysgota yn agos i'r lan a'i defnyddio fel bwyty. Gellid cyrraedd y smac drwy gerdded dros estyll o'r tir. Fore Llun, 13 Mawrth 1876, roedd Stelfox wrth ei waith yn y caban gerllaw ei gartref pan gyrhaeddodd Webber yn cario gwn dwy faril. Bu dadl ynglŷn â'r estyll. Anelodd Webber y gwn at Stelfox a thaniodd gan ei daro yn ei frest. Tystiodd un o weision Stelfox, a oedd yn bresennol, i hwnnw geisio dwyn y dryll oddi ar Webber. Methodd, a llusgodd ei hun i'r tŷ lle gwaeddodd ar Annie a dweud wrthi ei fod yn marw. Wrth iddi geisio'i ymgeleddu, gwelodd fod Webber y tu allan. Torrodd hwnnw gwarel yn ffenest yr ystafell wely ac yna ddau yn ffenest y gegin cyn gwthio'r gwn i mewn a saethu Stelfox unwaith eto, yn ei forddwyd y tro hwn. Ond roedd eisoes yn farw.

Gadawodd Webber a cherddodd i ffwrdd yng nghwmni

John Dunn o 19 Stryd Haearn. Gofynnodd i Dunn fynd â'r gwn gydag ef ond rhoddodd hwnnw'r arf i rywun o'r enw Mr Wilde, amserwr y gwaith copr gerllaw. Dywedodd Webber wrth Dunn iddo saethu Stelfox ac y câi ei grogi o'r herwydd. Aeth ar unwaith at blismon ac arestiwyd ef gan y Cwnstabl George Seddon.

Cynhaliwyd archwiliad *post mortem* ar Stelfox a chludwyd ei weddillion i'r *Marquis of Bute* at ei wraig. Ei sylw wrth y wasg oedd: 'Er ei holl ffaeleddau, roedd e'n ŵr i mi hyd y diwedd, ond bu'n camymddwyn yn ofnadwy'.

Sais o Stowford ger Bridgewater oedd John Webber, hen lanc a oedd wedi crwydro'r byd. Bu'n labro wrth godi rheilffyrdd yn Awstralia a bu'n cloddio am aur yng Nghaliffornia. Ond pysgotwr ydoedd yn y bôn, fel ei dad o'i flaen. Dywedwyd amdano na fu iddo golli'r un llanw oherwydd meddwdod!

Traddodwyd Webber i sefyll ei brawf ym Mrawdlys Morgannwg. Tystiodd William Partridge o 35 Stryd Knowle, Grangetown, mai ef oedd perchennog y dryll. Fe'i gwystlodd yn siop *pawnbroker* Louis Barnett yn Stryd Bute am 12 swllt cyn gwerthu ei docyn gwystl i Webber am hanner coron. Ni wnaeth Webber ddadlau ynglŷn â'r ffeithiau ond dywedodd iddo gael ei gythruddo gan Stelfox.

Cyn iddo sefyll ei brawf roedd baled amdano eisoes yn cael ei chanu a chopïau ohoni'n cael ei gwerthu. Dyma ran ohoni:

When he met his victim,
He then prepared to fire,
You are the man who took my planks,
Your life I now desire.
He fired and shot his victim,
His breast received the wound,

His life-blood soon was flowing
In streams upon the ground.
He tried to seize his murderer
To stop the deadly strife,
Then rushed into his little cot
In hopes to save his life.

Buan iawn y penderfynodd y rheithgor fod Webber yn euog. Fe'i crogwyd ddydd Llun, 24 Ebrill 1876, yng Ngharchar Caerdydd. Y crogwr oedd Marwood.

Rhoda Willis

Ni welir enw Rhoda Willis mewn unrhyw lyfr hanes. Ond haedda gael ei chrybwyll gan mai hi oedd yr unig fenyw i gael ei chrogi yng Nghymru yn yr ugeinfed ganrif.

Ganwyd Rhoda Lascelles yn Sunderland yn ferch i berchennog gwesty. Cafodd fagwraeth freintiedig a'r addysg orau mewn ysgol breifat. Pan oedd hi'n 19 oed, priododd â Thomas Willis, peiriannydd morwrol, ac oherwydd ei waith symudodd y pâr i Gaerdydd yn 1889. Ymsefydlodd y ddau, ynghyd â'u merch fach, yn Grangetown.

Merch eithriadol o brydferth a chanddi wallt euraid oedd Rhoda. Roedd hi hefyd yn dalentog yn gerddorol ac yn fedrus fel gwniadwraig. Ond gwnaeth rywbeth a oedd yn anarferol iawn y dyddiau hynny – symudodd i fyw at beiriannydd morwrol arall, sef E.S. McPherson a weithiai i gwmni Morel Ltd yn y ddinas. Aeth y ddau i fyw i Stryd Paget, Grangetown, a chawsant ddau o blant. Ond ni pharhaodd y berthynas ac aeth Rhoda i fyw gyda'i brawd, a oedd yn cadw tafarn yn Birmingham. Symudodd y ddau blentyn i fyw gyda'u tad yn 19 Stryd Ursula, Lerpwl.

Ymhen dwy flynedd dychwelodd Rhoda i Gaerdydd ond erbyn hyn roedd hi'n yfed yn drwm. Yn 1906 fe'i trawyd gan feic yn Heol y Bont-faen, Treganna, a derbyniodd driniaeth i'w phen yn Ysbyty'r Wyrcws.

Daeth i sylw'r heddlu am y tro cyntaf ar ôl dwyn medal o dŷ yn Stryd Caroline. Carcharwyd hi am gyfnod, ac wedi ei rhyddhau, daeth dan ofal yr Uwchgapten Chatterton yng nghartref Byddin yr Iachawdwriaeth yn Stryd Charles. Newidiodd ei henw i Leslie James a gwariai bob ceiniog ar ddiod feddwol. Ond wythnos yn unig y bu yno gan iddi lwyddo i gael swydd fel morwyn i grydd, David Evans o 55 Stryd George ym Mhont-y-pŵl.

Roedd hwn yn gyfnod pan ystyrid geni plentyn gordderch yn warth. Câi'r mwyafrif o fabanod siawns eu mabwysiadu, ac fe delid yn dda i'r sawl a fyddai am fabwysiadu. Gelwid yr arfer yn *baby farming* a cheid hysbysebion mewn papurau dyddiol oddi wrth rai a oedd yn barod i dderbyn babanod siawns.

Pan ddaeth James i gartref David Evans gyda baban newydd-anedig, esboniodd wrtho mai ei baban hi ydoedd ac iddo fod, am gyfnod, yng ngofal gwraig o'r enw Mrs Carruthers ond i honno fynnu ei roi yn ôl iddi. Yn anfoddog, derbyniodd Evans y baban i'w gartref. Bachgen bach gordderch i wraig o Abertyleri oedd hwn mewn gwirionedd. Yn y cyfamser, roedd James wedi trefnu i fabwysiadu baban arall, heb ei eni eto, oddi wrth Maude Treasure o Fleur-de-Lis.

Ar 7 Mai 1907 gadawodd James am Gaerdydd. Ar yr un noson, wrth iddi adael Cartref Byddin yr Iachawdwriaeth, gwelodd y Capten Emma Chatterton fwndel ar drothwy'r drws. Yno roedd baban wedi'i lapio mewn gwlanen goch a rỳg. Gyda'r baban gadawyd nodyn wedi'i gyfeirio at y Capten: *'Do take my baby in. I ham won of your girls gone wrong. I will come back if you will forgive me and will bring money'*. Aethpwyd â'r baban i Ysbyty'r Wyrcws yng Nghaerdydd ond bu farw ymhen wythnos o glefyd y rhyddni. Canfuwyd mai'r baban o Abertyleri oedd hwn a

199

thystiodd y wraig a drefnodd iddo gael ei fabwysiadu iddi ei drosglwyddo i Leslie James heb glywed sôn amdano wedyn ar wahân i lythyr yn dweud bod y baban yn iawn. Profwyd bod y nodyn a gafwyd ar y baban yn llawysgrifen Leslie James gyda rhai geiriau wedi'u camsillafu'n fwriadol.

Tystiodd David Evans iddo weld James yng Nghaerdydd yr un diwrnod ag y gadawodd hi ei gartref. Roedd hi'n feddw a doedd dim sôn am y baban. Fe'i sicrhaodd fod y baban wedi cael cartref da. Drannoeth, symudodd James i gartref y teulu Wilson yn 123 Heol Portmanmoor. Gofynnodd i Mrs Hannah Wilson a fyddai'n barod i fabwysiadu baban. Cytunodd honno ar yr amod y câi gyfarfod â'r fam yn gyntaf. Mynnodd James mai y hi oedd y fam, a'r noson honno daeth â baban i'r tŷ.

Fore Mercher, 5 Mehefin clywodd Mrs Wilson sŵn rhywun yn syrthio yn y llofft. James oedd yno, wedi meddwi'n chwil. Wrth iddi gymoni'r gwely gwelodd y lletywraig fwndel wrth droed y gwely wedi'i lapio mewn papur dyddiol. Ynddo roedd corff noeth baban. Galwyd ar feddyg, a barn hwnnw oedd i'r baban farw o dagfa fwriadol. Roedd pwysedd sylweddol wedi'i roi ar foch dde'r baban ac ar yr ochr chwith i'w frest. Bu farw o 'dagfa drwy bwysedd', a hynny drwy drais.

Arestiwyd James gan yr Arolygydd Davey a'i chyhuddo o lofruddio'r baban. Ddydd Mawrth, 23 Gorffennaf, ymddangosodd gerbron Mr Comisiynydd Shee C.B. yn y Frawdlys yn Abertawe lle plediodd yn ddieuog. Syr Brynmor Jones C.B., A.S. oedd yn ymddangos ar ran y Goron gyda Lleufer Thomas yn cynorthwyo. Doedd gan James ddim bargyfreithiwr i'w hamddiffyn, felly gofynnwyd i Ivor Bowen ymgymryd â'r gwaith.

Cafwyd tystiolaeth gan Lydia English, chwaer Maude Treasure, iddi weld hysbyseb yn y papur: 'Pâr priod, pobl

Gristnogol, eisiau mabwysiadu baban. Rhaid ei fod yn berffaith iach'. Daeth hyn â hi i gysylltiad â'r diffynnydd a threfnwyd i honno gymryd y baban am £8 gyda £6 i'w talu lawr. Gwnaeth Lydia drefniadau i hebrwng James i gartref Maude i nôl y baban nad oedd ond chwe awr oed. Derbyniodd James £5 ac arwyddodd dderbynneb yn cadarnhau hynny.

Bwriad yr Erlyniad oedd profi bod James yn awyddus i fabwysiadu babanod er mwyn yr arian, heb fwriadu eu magu, ond ceisiodd yr Amddiffyniad ddadlau i'r baban farw'n ddamweiniol. Serch hynny, yn ystod ail ddiwrnod yr achos, cafodd y rheithgor Leslie James yn euog ar ôl deng munud o gyd-drafod. Dedfrydwyd hi i dderbyn y gosb eithaf.

Pennwyd dyddiad ei dienyddio – dydd Mercher, 14 Awst 1907. Ddau ddiwrnod cyn hynny gofynnodd am ganiatâd i weld ei chyn-gymar, E.S. McPherson. Caniatawyd hynny a theithiodd ef o Lerpwl. Yna, am 6.15 ar fore'r dienyddio, gwnaeth James gyfaddefiad. Dywedodd iddi ladd y baban ar y trên rhwng Llanisien a Chaerdydd. Derbyniodd yr ordinhad sanctaidd gan y Caplan, y Parchedig Arthur Pugh, a gweddïodd yn daer. Yna cyrchwyd hi o gell y condemniedig gan y brodyr Pierrepoint. Ei geiriau olaf oedd: 'Arglwydd Iesu, derbyn fy enaid'. Cafodd gwymp o bum troedfedd a deng modfedd. Torrwyd bedd 12 troedfedd o ddyfnder iddi ac arllwyswyd ar ei chorff lond berfa o galch a chwe bwcedaid o ddŵr.

Fe'i crogwyd ar ddydd ei phen blwydd yn ddeugain oed.

Clifford Godfrey Wills

Pan ddedfrydwyd Clifford Godfrey Wills i'w grogi, argymhelliad y Barnwr oedd iddo dderbyn triniaeth i wella cyflwr ei feddwl cyn wynebu'r rhaff. Hynny yw, roedd y Barnwr yn awyddus iddo farw â'i feddwl yn iachach.

Trydanwr 31 oed oedd Wills a drigai yn 3 Cromwell Place, Pontnewydd, Sir Fynwy. Er ei fod yn ddyn sengl, roedd ganddo gariad a oedd yn wraig briod, Silvinea May Parry, merch dawel, brydferth a chanddi wallt golau. Dechreuodd Wills ddioddef o iselder ysbryd ond gwrthododd dderbyn triniaeth therapi trydanol yn ysbyty meddwl y sir. Yn 1947 ceisiodd ei ladd ei hun drwy dorri ei arddyrnau, ond doedd ei salwch ddim yn ddigon gwael iddo gael ei gofrestru fel un a oedd yn glaf yn feddyliol.

Ddydd Mawrth, 8 Mehefin 1948, roedd John Parry, gŵr Silvinea, yn gweithio shifft brynhawn yn y gwaith dur. Gweithiai ei wraig yn y gwaith stampio tun yn y boreau gyda'i shifft yn dod i ben yn gynnar y prynhawn. Ond pan gyrhaeddodd gartref doedd dim sôn am ei wraig er bod ei fab yno. Credai hwnnw iddi fynd i'r pictiwrs, fel y gwnâi yn achlysurol. Ond bu'n absennol drwy'r nos a phenderfynwyd mynd at yr heddlu. Ar ôl sgwrsio â'r Rhingyll Plummer aeth adref, ac aeth i fyny i'r ystafell sbâr lle cedwid pob math o drugareddau. Sylwodd fod y lle'n daclusach nag arfer, ac o edrych yn fanylach, canfu gorff ei wraig o dan y gwely. Roedd rhan isaf ei chorff yn noeth.

Galwyd yr heddlu a chanfuwyd olion sgidiau gwaedlyd ar lawr y toiled a dagr yn ei wain mewn esgid *Wellington*. Canfuwyd olion llaw mewn gwaed hefyd. Datgelodd John fod Clifford Godfrey Wills yn ymwelydd cyson i'r cartref.

Cyn symud y corff canfu'r Athro James Mathewson Webster, Cyfarwyddwr Labordy Fforensig y Canolbarth, Birmingham, sbaner ag olion gwaed arno ar y corff. Roedd pen Silvinea wedi'i lapio mewn gwahanol ddillad a rhan o siaced plentyn wedi'i stwffio i'w cheg. Gwelodd fod gwaed wedi sychu ar ei phen.

Yn y marwdy gwelwyd tri thrywaniad i'r frest chwith ac i'r galon ac roedd esgyrn yr wyneb wedi'u torri, canlyniad i ymosodiad gan arf di-fin. Roedd cleisiau ar y gwddf ac un ar ddeg o doriadau i'r pen. Achos y farwolaeth oedd sioc a gwaedlif o ganlyniad i anafiadau amryfal i'r pen, trywaniadau i'r frest a thagfa gan ddwylo. Canfuwyd blew gwallt y trancedig ar y sbaner.

Archwiliwyd Wills a chafwyd olion gwaed Grŵp 'A' arno, er mai Grŵp 'O' oedd ei waed ef. Grŵp 'A' oedd gwaed Silvinea. Gwelwyd bod sgidiau Wills yn cyfateb i olion y sgidiau a ganfuwyd yn y llofft.

Pan arestiwyd Wills gan yr Arolygydd Parsons a'r Rhingyll Plummer, gofynnwyd iddo esbonio'r anafiadau i'w law a'r olion gwaed ar ei grys. Ei ateb oedd iddo fod yn ymladd â Kid Logan, sef George Logan, bocsiwr lleol yn nhafarn y *New Found Out* y noson cynt. Canfuwyd ymhellach fod Wills wedi cymryd 15 o dabledi cysgu.

Dywedodd iddo gwrdd â Silvinea y bore cynt ac iddynt gytuno i gwrdd y tu allan i'r *Café Romany* ddiwedd y prynhawn. Cyfarfu â Doris Rogers o Fferm Catash yno a bu gyda hi tan oriau mân y bore cyn dal bws y gweithwyr a chyrraedd adref am saith o'r gloch. Galwodd gyda Silvinea y prynhawn hwnnw a threfnu mynd i Gasnewydd, ond cawsant gyfathrach rywiol ar y llawr yn gyntaf. Roedd angen deng munud ar Silvinea i baratoi i fynd allan. Honnodd Wills iddo adael y tŷ bryd hynny, ond pan ddychwelodd ymhen deng munud roedd y lle'n wag.

Gwnaeth Wills ail a thrydydd datganiad, pob un yn wahanol. Gwadai'r cyhuddiad ond roedd y dystiolaeth fforensig yn gryf yn ei erbyn ac aethpwyd ag ef i'r llys. Safodd gerbron yr Ustus Hallett ym Mrawdlys Sir Fynwy yng Nghasnewydd ddydd Llun, 8 Tachwedd 1948. Y dystiolaeth gadarnaf yn ei erbyn oedd yr olion cledr llaw oedd yn y gwaed yn y tŷ. Ni wnaeth ei fargyfreithiwr, A.J. Long, hyd yn oed geisio gwadu mai Wills oedd y llofrudd. Dadleuodd yn hytrach fod Wills yn dioddef o salwch meddwl ar y pryd ac nad oedd yn gyfrifol am ei weithredoedd. Credai i'r salwch meddwl gychwyn yng ngwanwyn y flwyddyn cynt. Tystiodd meddyg Carchar Caerdydd, Dr T. Wallace, fod Wills wedi dioddef o'r clafr ofnadwy *(severe psoriasis)* ers iddo fod yn 17 oed ond ni chanfu unrhyw arwydd o salwch meddwl.

Cynghorwyd Wills gan ei fargyfreithiwr i beidio â rhoi tystiolaeth ar lw. Galwodd yr erlynydd, Cartwright Sharpe C.B., ar yr Athro Webster i gynnig ei farn ar gyflwr meddwl Wills. Dywedodd hwnnw i'r ymosodiadau fod yn ddi-ball a phenderfynol, ac awgrymai hynny y gwyddai'n iawn yr hyn a wnâi a'i fod yn bwriadu lladd.

Ar ôl hanner awr o drafod, penderfynodd y rheithgor fod Wills yn euog, ond dywedodd y dylai'r carcharor dderbyn triniaeth seiciatrig bellach. Yna, ym mis Ebrill, pleidleisiodd Tŷ'r Cyffredin o blaid atal dienyddio am bum mlynedd, penderfyniad a drowyd ar ei ben gan Dŷ'r Arglwyddi. Am gyfnod, newidiwyd pob dedfryd o ddienyddio i un o garchar am oes, ond yna adferwyd y gosb eithaf unwaith eto.

Ddydd Iau, 9 Rhagfyr 1948, crogwyd Clifford Godfrey Wills yng Ngharchar Caerdydd gan Stephen Wade yn bresennol yn absenoldeb y crogwr swyddogol, a oedd yn yr Almaen ar y pryd.

Ali Abdullah Saleh Yafai

Wedi i Mary Yafai ddiflannu yn 1971, teimlad yr heddlu oedd mai ei gŵr a'i llofruddiodd ac iddo gael cymorth eraill i gael gwared ar y corff. Ac roedd gan Ali Yafai gymhwyster da ar gyfer cael gwared ar gyrff – roedd wedi'i hyfforddi i fod yn gigydd.

Yn Yemen y ganwyd Ali Yafai, ond daeth i Brydain yn 1955 a chafodd swydd mewn gwaith dur yn West Hartlepool. Yno y cyfarfu â Miriam Ahmed, 16 oed, ac roedd y ddau yn briod cyn pen blwyddyn. Ganwyd iddynt ddau o blant, Ablah ac Ishmahan.

Roedd Yafai yn ddyn cas a chreulon a byddai'n curo'i wraig am y rheswm lleiaf. Ar un adeg bygythiodd ei darnio â chyllell. Roedd hefyd yn gelwyddgi. Wrth briodi, tyngodd ar y Corân mai dyn sengl ydoedd, er bod ganddo wraig a dau o blant yn ôl yn Yemen. Ond tyngai ef fod ei wraig gyntaf, Zara, wedi marw.

Yn 1960 fe adawodd Miriam ei gŵr a'i phlant. Symudodd Yafai a'r ddau blentyn i Birmingham ac ymhen blwyddyn cyfarfu â'i 'wraig' nesaf, Mary Hemmings. Erbyn Chwefror 1962 roedd y ferch yn feichiog a phriodwyd y ddau ar 4 Awst, er bod ganddo eisoes ddwy wraig arall. Roedd Mary'n 17 ar y pryd. Ganwyd iddynt ddau o blant, Yasmin a Muna.

Symudodd y teulu i Gasnewydd a chafodd Yafai swydd

fel labrwr yng ngwaith dur Llanwern ar gyflog o £33 yr wythnos. Ymgartrefodd y ddau yn 17 Heol Grafton, Maendy. Roedd Yafai erbyn hyn wedi dechrau bod yn greulon wrth Mary, ac er iddi ei adael a mynd yn ôl at ei mam fwy nag unwaith, dychwelyd ato a wnâi bob tro.

Roedd lle i gredu nad oedd Mary hithau yn hollol ddi-fai a chafwyd si iddi fwynhau perthynas â chymydog yng Nghasnewydd. Yna, un diwrnod, galwodd dyn o'r enw Fred Bird i drwsio'r peiriant golchi. Yr un adeg, dechreuodd Ali fusnes cigydd a phrynodd fan at y gwaith. Cafodd wersi gyrru gan Bird a oedd, yn y cyfamser, wedi dechrau perthynas â Mary. Penderfynodd hi a Bird fynd i fyw gyda'i gilydd mewn fflat, ac i fynd â'r pedwar plentyn gyda hi.

Fore Iau, 2 Medi, cododd Bird i fynd i'w waith gan adael Mary yn ei gwely. Ar ôl danfon y plant i'r ysgol roedd hithau'n bwriadu rhoi help i Yafai ar ei rownd gig cyn ei adael yn llwyr. Ganddi hi oedd allwedd y fflat ac roedd hi a Bird wedi trefnu i gyfarfod yno dros ginio. Ond er iddo ddisgwyl y tu allan am awr, doedd dim sôn am Mary ac aeth yn ôl i'w waith. Tua 2.30 aeth Yafai i'w weld gan roi iddo'r allwedd oddi wrth Mary. Dywedodd wrth Bird fod gan Mary gariad arall a'i bod hi wedi trefnu i gwrdd â hwnnw. Ychwanegodd iddo roi deg punt iddi a'i chynghori i ystyried y peth.

Doedd Fred ddim yn credu'r stori. Gwyddai na fyddai Mary wedi gadael heb ei dillad a'i thabledi atal cenhedlu. Aeth i chwilio amdani, a bu allan drwy'r nos cyn mynd at yr heddlu. Ond ni welwyd Mary Yafai yn fyw nac yn farw byth wedyn.

Cawsai ei gweld y diwrnod cynt yn siop Harry Allen, gyferbyn â'i chartref, tua 11.30. Yna, clywodd Allen hi ac Yafai yn cweryla yn y tŷ. Yn rhif 5, y drws nesaf i'r Yafais, trigai Kathleen Williams a thua 11.30 roedd hi wedi clywed swn fel swn ergydion bwyell. Gan fod Yafai yn gigydd, roedd hi'n hen gyfarwydd â synau o'r fath. Ond pan beidiodd yr ergydion clywodd lais yn debyg i un Mary yn gweiddi: 'Mae'n ddrwg gen i, mae'n ddrwg gen i. Na, na, mae'n ddrwg gen i'. Clywodd swn dodrefn yn cael eu lluchio yn erbyn y wal. Ac yna – distawrwydd.

Archwiliwyd y tŷ gan yr heddlu a holwyd Yafai. Dywedodd i'w wraig adael ar ôl gorffen y rownd gig a'i bod wedi dweud na fyddai'n mynd yn ôl at Bird am fod ganddi gariad arall. Yn ôl Yafai roedd hi hefyd wedi dweud ei bod hi am fynd i weithio fel putain. Cyfaddefodd iddo wylltio a'i tharo. Yna, wedi i bethau dawelu, penderfynodd y ddau fod eu priodas drosodd ac aeth ef ati i olchi dillad y plant a hithau i sychu'r gwaed oddi ar ei hwyneb. Yna gadawodd Mary allwedd y fflat gydag ef i'w rhoi yn ôl i Bird.

Fel arfer, nid cyfrifoldeb y *Regional Crime Squad* oedd ymchwilio i ddiflaniad person, ond ar gais Prif Gwnstabl Gwent, John Over, galwyd ar y garfan i gymryd gofal o'r achos – yr unig dro i hynny ddigwydd. Cafwyd gwybodaeth o bwys gan un o gymdogion Yafai – Kathleen Kuczma – a welodd tua 11.30, naill ai nos Iau yr ail neu nos Wener y trydydd, fan Ali y tu allan a'r drysau ôl yn agored. Gwelodd dri dyn yn dod allan o'r tŷ yn cario rhywbeth tebyg i rolyn o garped trwm a llydan a'i osod yn y fan. Ond roedd yn rhyfedd ganddi weld nad oedd Mary yno gan mai honno, fel arfer, fyddai dan y pen trymaf. Adnabu'r tri dyn fel Yafai a dau gyd-wladwr iddo, Kassim Hussain ac Ahmed Mana Ahmed. Ond pan holwyd y tri am y digwyddiad, fe wnaethant wadu'r cyfan.

Cysylltwyd â'r Cyfarwyddwr Erlyniadau Cyhoeddus, a theimlai hwnnw fod digon o dystiolaeth i arestio Ali Yafai a'i gyhuddo o lofruddio'i wraig a chyhuddo'i ddau gyd-wladwr o gynorthwyo troseddwr. Ond yn Llys y Goron,

Caerdydd fis Tachwedd 1972, cafwyd Yafai yn ddieuog o lofruddiaeth ond yn euog o ddynladdiad. Dedfrydwyd ef i garchar am chwe blynedd. Methwyd â phrofi'r cyhuddiad yn erbyn Hussain ac Ahmed. Ni ddaethpwyd â chyhuddiad o amlwreicia yn erbyn Yafai.

Anthony Albert Yellen

Pan lofruddiwyd Hezekiah Thomas yn 1971, bu farw'r Cymro Cymraeg naturiol olaf ym Mro Morgannwg.

Ganwyd Hezekiah yn un o chwech o blant yn fferm Penfforddfawr yn Llanddunwyd ger y Bont-faen fis Mawrth 1884. Yn 1910 ymfudodd i Ganada a dilynwyd ef yn ddiweddarach gan ei frawd, Malgwyn. Bu'r ddau mewn busnes adeiladu ar y cyd cyn i Malgwyn ddychwelyd yn 1933. Dychwelodd Hezekiah hefyd yn 1950. Ac yntau'n ddibriod, gwnaeth ei gartref gyda'i chwaer ar y fferm deuluol gan fyw bywyd cyntefig heb unrhyw gyfleusterau modern o gwbl, ddim hyd yn oed drydan.

Bu farw'r chwaer ym mis Medi, 1970, gan adael Hezekiah i fyw ar ei ben ei hun. Roedd ef wedi casglu cryn gyfoeth yn ystod ei flynyddoedd fel alltud a gadawodd ei chwaer 15 o dai iddo yn ei hewyllys, yn cynnwys pedwar yn Nhonyrefail a phedwar arall yn Llanilltud Fawr.

Byddai'r postmon, Derek Smith, yn gadael copi o'r *Western Mail* i Hezekiah yn ddyddiol. Pan alwodd fore Llun, 5 Ebrill 1971, gwelodd fod copi'r diwrnod cynt o'r papur yn dal yn y cyntedd. Galwodd ar Hezekiah ond ni chafodd ateb. Yna, wrth edrych drwy'r ffenest, fe'i gwelodd yn gorwedd ar lawr yr ystafell fyw. Galwodd ar yr heddlu a chafwyd bod Hezekiah yn farw. Roedd ei arddyrnau wedi'u clymu gyda'i gilydd â chortyn trwchus, ei goesau wedi'u clymu uwchben ei benliniau a hefyd ei figyrnau wedi'u clymu. Roedd tri darn arall o gortyn wedi'u clymu yn y fath fodd fel bod ei draed a'i ddwylo wedi'u tynnu at ei gilydd nes plygu'r corff a chyfyngu ar ei anadlu ac roedd sgarff wedi'i chlymu ar draws ei geg. Ar ben hynny, roedd ei arddyrnau a'i figyrnau wedi'u clymu wrth goes bwrdd trwm. Roedd cleisiau ar ei wyneb a phwll o waed ar y llawr o dan ei geg a'i drwyn.

Wedi i Dr G.S. Andrews gynnal archwiliad *post mortem*, amcangyfrifwyd i Hezekiah fod yn farw ers 26 awr er i'r ymosodiad, fwy na thebyg, ddigwydd beth amser cyn hynny. Roedd wedi derbyn chwe ergyd i'w ben ac achos y farwolaeth oedd sioc a thagfa o ganlyniad i anadlu gwaed neu gyfog, ac anafiadau i'r wyneb. Roedd y tŷ wedi'i archwilio'n fanwl a'r sêff wedi'i chario o'r pantri i'r ystafell fyw a'i chefn wedi'i rwygo i ffwrdd.

Gan fod yr hen ŵr yn byw ar ei ben ei hun, anodd oedd gwybod beth, os rhywbeth, oedd wedi'i ddwyn. Cofiai Malgwyn weld hanner dwsin o sofrod yn y sêff unwaith yn ogystal â darn gini, darn hanner gini, darn doler aur Americanaidd a thua hanner dwsin o ddarnau pedwar swllt Fictoraidd. Roedd hi'n rhesymol credu bod cryn arian yn y tŷ, ac o chwilio'n fanwl canfuwyd symiau wedi'u cuddio mewn 16 o leoedd. Roedd y symiau mwyaf y tu mewn i gefn organ ac mewn ceudod yn y lle tân. Y cyfanswm oedd £5,386.6s.3d.

Galwai Malgwyn ym Mhenfforddfawr ddwywaith yr wythnos. Y tro olaf iddo alw oedd dydd Sadwrn, 3 Ebrill, ac ar yr achlysur hwnnw dywedodd Hezekiah wrtho i ddau ddyn alw yn ystod yr wythnos, yn awyddus i brynu sgrap. Roedd un wedi gofyn am wydraid o ddŵr, a phan aeth Hezekiah i'w nôl, fe'i dilynwyd i'r pantri gan un o'r dynion. Teimlai eu bod â'u llygaid ar bopeth yn y tŷ. Pan ddangosodd y sgrap iddynt yn y sièd wair, fe ddywedodd y ddau y byddai'n rhy anodd ei gael oddi yno. Pan ofynnodd iddynt eu henwau, y cwbl a gafodd oedd 'Williams ac Evans'. Gwelwyd bod enwau a chyfeiriad y ddau yn llyfr bach Hezekiah, ond cafwyd mai cyfeiriad ffug ydoedd, cyfeiriad yn cynnwys swyddfeydd cyfreithwyr yn Park Place, Caerdydd.

Fis wedi'r llofruddiaeth, roedd dau ddyn o Gaerdydd yn sefyll eu prawf ym Mrawdlys Caerloyw ar gyhuddiad o ymosod ar fwci a'i wraig, gynt o Gaerdydd ond wedi ymddeol i Lydney, Swydd Gaerloyw. Roedd y pâr wedi'u clymu wrth gadeiriau, y tŷ wedi'i ysbeilio ac arian wedi'i ddwyn. Y ddau oedd Anthony Albert Yellen ac Edward Harrington. Cafwyd Yellen yn euog a'i garcharu am saith mlynedd. Cafwyd Harrington yn ddieuog, ond fisoedd yn ddiweddarach aeth ei gar ar dân ar yr M6 ger Caerliwelydd a bu farw.

Roedd Yellen a Harrington yn y ffrâm am lofruddiaeth Hezekiah Thomas, ac ym mis Mai 1983, derbyniodd yr heddlu wybodaeth ddefnyddiol iawn. Roedd dyn o Gaerdydd wedi'i ddedfrydu i garchar am fwrgleriaeth ac wedi'i ddanfon i Dartmoor lle'r oedd Yellen hefyd yn garcharor. Wedi i'r ddau ddod yn ffrindiau, yn ôl y carcharor, cyfaddefodd Yellen wrtho mai ef lofruddiodd Hezekiah Thomas. Arestiwyd ef a'i gyhuddo. Erbyn hyn roedd yn 44 oed, yn adeiladwr, ac yn byw yn Gresford Close, Trowbridge, Caerdydd.

Ymddangosodd gerbron yr Ustus Michael Davies yn Llys y Goron, Caerdydd, ddydd Llun, 13 Chwefror 1984, a chynrychiolwyd ef gan John Prosser C.F. Plediodd yn ddieuog o lofruddio ac o fynd i mewn i dŷ gyda'r bwriad o ladrata. Disgrifiodd yr erlynydd, Gareth Williams C.F., sut yr aeth si ar led fod gan hen ŵr lawer o arian yn ei gartref ym Mro Morgannwg. Disgrifiodd sut yr ymosodwyd arno a'r ffaith i £4,500 gael ei ddwyn ond i £5,000 fod ynghudd yn y tŷ o hyd. Roedd Yellen, meddai, wedi glynu wrth alibi ffug am 12 mlynedd.

Cysylltodd y Ditectif Uwcharolygydd Viv Brook yr ymosodiad â nifer o rai tebyg yn yr ardal. Yng Ngharchar Dartmoor roedd Yellen wedi cyfaddef wrth y Ditectif Brif Arolygydd Alec Trigg i achosion o ysbeilio a chlymu'r dioddefwyr yn Ninas Powys a Llancarfan, ond gwadodd yr ymosodiad ar Hezekiah Thomas.

Wedi pum awr o gyd-drafod cafwyd Yellen yn ddieuog o lofruddiaeth ond yn euog o fwrgleriaeth. Gan iddo fod yn gaeth er mis Gorffennaf y flwyddyn flaenorol, a bod 13 blynedd wedi mynd heibio ers y drosedd, ni theimlai'r Barnwr y dylid ei ddanfon i garchar. Cafodd, felly, ei ryddhau ar unwaith.

Ni chafwyd neb yn euog o lofruddio'r Cymro Cymraeg naturiol olaf ym Mro Morgannwg.